메타버스
인공지능의
시대

미래직업
다이어리 ①

신도형, 탐이부, 한재혁, 박찬, 이정훈, 김태원, 변문경 지음

다빈치 books

『미래직업 다이어리』 시리즈

청소년들에게 미래에도 사라지지 않을 직업군을 소개하며, 자신의 롤모델을 찾고, 나의 재능영역을 돌아볼 기회를 제공할 것이다.

『미래직업 다이어리 ❷』

『미래직업 다이어리 2』에서는 SBS '정글의 법칙' 김준수 PD의 예능 PD로의 진로를 소개하고, 서울대학교 영상의학과 최승홍 교수가 인공지능과 협업하는 미래 의사에 대해 설명한다. 또한 경향신문사 엔터부 이유진 기자를 통해서 미래 기자라는 직업에 대해 함께 상상해 볼 수 있다. 또한 '무공으로 레벨업하는 마왕님' 웹소설 작가인 아이박슨 작가가 웹소설 작가가 되는 과정을 소개하며 자신의 웹소설 기획안과 콘티를 전격 공유했다. 그리고 지능형 과학실을 기획, 개발하는 데 참여하는 손미현 선생님이 미래 교육 콘텐츠 개발자가 어떤 일을 해야 하는지 소개한다. 마지막으로 연료전지를 만드는 김정현 교수가 연구자 및 교수가 되는 과정에 대해 자세히 알려준다.

『미래직업 다이어리 ❸』

『미래직업 다이어리 3』에서는 BTS 굿즈 한글 보드게임 '라온 with BTS'의 제작자 오준원 젬블로 대표가 보드게임 개발자라는 미래직업을 소개한다. 김보연 배우가 연예인을 꿈꾸는 학생들에게 배우의 자질과 열정에 관해 소개하고, 전 CJ E&M 디지털콘텐츠 총괄을 역임하고 숏폼 콘텐츠 제작사 대표가 된 이우탁 대표가 OTT 시대 숏폼 콘텐츠 제작자라는 미래직업을 소개한다. 유튜브 '이상문TV'를 운영하는 이상문 대표가 고미술품 감정사는 어떻게 될 수 있는지에 대해 알려준다. 현재 와이즈만북스를 총괄하는 김현정 본부장은 미래 출판편집자의 길을 자세하게 소개하며 출판 전반을 소개하고 있다. 마지막으로 메타버스 가상공간을 디자인하는 홍연선 디자이너가 실내디자이너에서 온라인 가상공간 디자이너로 성장한 과정과 미래 유망 직업이 될 메타버스 디자이너에 관해 자세히 알려준다.

미래직업 다이어리 ①

신도형, 탐이부, 한재혁, 박찬, 이정훈, 김태원, 변문경 지음

다빈치 books

저자의 말

메타버스, 인공지능을 빼면 이제 미래를 상상할 수 없다고들 합니다. 이미 우리는 물리적인 환경이 아닌 온라인 디지털 환경에서 더 오래 생활하고 있으며, 온라인에서 더 많은 소비를 하게 되었습니다. 4차 산업혁명과 메타버스 중심 산업 구조의 변화로 이제 과거의 교육방식은 더 이상 미래를 보장해 주지 못합니다. 명문대학 입시에 성공했다고 해도 취업이 보장되지 않는다는 것을 이미 많은 사람이 알게 되었습니다. 한 개인이 어떤 지식을 배워서 직업을 얻고, 문제 해결에 사용할 수 있는 주기가 급속이 짧아지고 있기 때문입니다.

이미 세상은 변했고 모두가 교육 혁신이 시급하다고 입을 모읍니다. 하지만 실제로 교육에서 무엇을 어떻게 혁신해야 할지는 잘 알지 못합니다. 특히 융합 크리에이터나 인공지능 분야처럼 급속도로 일자리 수요가 늘고 있지만, 공급은 부족한 미래 직업 대한 진로 가이드는 별로 없습니다.

미래 직업에 대한 이해를 도와, 학생들이 변화한 세상에서 진로를 스스로 찾아갈 수 있는 신선한 가이드가 되기를 바라며 이 책을 함께 쓰고 또 편집했습니다. 특히 이 책은 학생들이 관심 있어 하는 게임, 인공지능, 미래교사, 웹툰, 스토리 작가 분야에서 일하고 있는 분들이 직접 자신의 직업을 소개하고, 진로에 대해 가이드를 하는 형태로 제작되었습니다. 이 책을 읽은 많은 학생들이 메타버스, 인공지능의 시대에서 '내가 잘하는 것, 내가 좋아하는 것'을 토대로 진로를 설계할 수 있게 되기를 진심으로 바랍니다.

저자 일동

Contents

CHAPTER 01 메타버스와 인공지능의 시대

CHAPTER 02 웹툰 프로듀서, 스토리 크리에이터 / 웹툰

CHAPTER 03 웹툰 작가

CHAPTER 04   게임 개발자

CHAPTER 05 미래교사

CHAPTER 06 인공지능 개발자

CHAPTER 08 융합 콘텐츠 크리에이터

기획, 편집을 마치며

CHAPTER 01

메타버스와
인공지능의 시대

고대 그리스의 철학자 아리스토텔레스가 주장하는 교육의 목적은 시민들을 가장 훌륭한 사람으로 만드는 것이다. 그래서 유용한 것과 필요한 것보다는 가치 있는 것, 훌륭한 것을 교육해야 한다고 그는 주장했다. 국가의 훌륭함은 정치체제에 참여한 시민들이 훌륭하기 때문에 가능한 것이며, 국가 주도의 교육을 통해 시민 탁월성의 함양이 필요하고, 이렇게 육성된 탁월한 시민은 훌륭한 국가를 만든다고 했다. 또한, 아리스토텔레스는 시민에게 어떤 교육을 어떻게 제공할 것인가를 결정하는 문제는 매우 어려우며, 사실상 모든 시대의 고민거리라고 말하고 있다 [1].

1)   손윤락, 아리스토텔레스의 시민 교육에서 덕_성격과 음악. 동서철학연구, 2013.

메타버스와 인공지능의 시대

우리는 어디에 살고 있는가?

지하철을 타면 대부분의 사람은 자연스럽게 스마트폰을 봅니다. 요즈음은 엘리베이터를 타는 그 잠깐의 시간에도 사람들은 어김없이 스마트폰을 들여다보고 있습니다. 점심을 먹기 위해서 식사 장소를 고르거나 배달 주문을 할 때, 음식을 먹을 때, 심지어 길을 걸을 때, 운전하다가 신호가 바뀌기 전까지도 그리고 잠자기 전 침대 위에서도 사람들은 스마트폰을 손에서 놓지 않습니다. 스마트폰을 손에 들고 있지 않아도 많은 이의 손목에는 아이워치 같은 웨어러블이 스마트폰으로 들어오는 문자 등을 실시간으로 전해줍니다. 우리가 현재 물리적 공간에 사는 것인지 가상공간에 사는 것인지 알 수가 없습니다. 게다가 요즘 들어 드는 생각은 삶에서 우리가 스마트폰을 조종하는 것인지, 스마트폰이 우리를 조종하고 있는 것인지 혼란스럽기까지 합니다.

이미 우리는 삶의 시간 대부분을 디지털 공간에서 보내게 되었습니다. 이러한 디지털 공간을 요즘 메타버스(Metaverse)라고 합니다. 메타버스는 단어 자체만 보면 초월을 뜻하는 'Meta(메타)'와 세상을 뜻하는 'Universe(유니버스)'가 합쳐져서 현실을 초월한 공간을 일컫는 말입니다. 예를 들어 네이버 포털, 카카오페이지, 쿠팡 앱, 배달의 민족, 온라인 게임, 페이스북, 인스타그램 등이 모두 메타버스입니다. 최근 강원대 김상균 교수님의 베스트셀러 저서『메타버스』는 물리적 공간을 초월하여 살아가는 디지털 세상에 우리가 살고 있음을 일깨워 주었습니다.

가상공간으로 경제활동 장소 이동

우리가 메타버스에 살게 된 것이 매우 갑작스러운 일은 아닙니다. 스마트폰이 급속도로 보급되고, LTE, 5G가 보급된 이후 자연스럽게 우리는 우리의 생활을 물리적 공간에서 디지털 공간인 메타버스로 옮겨놓고 있었습니다. 코로나19는 우리가 생활할 수 있는 물리적 공간을 제한하고 축소시켰습니다. 학교에서 수업을 듣고, 마트나 백화점에서 장을 보며, 영화관에서 영화를 보고, 친구들과 커피전문점에서 수다를 떨던 일상이 사회적 거리두기로 제한을 받게 되었습니다.

요즘 우리는 스마트폰으로 맛집을 검색하고 메뉴판을 보고 후기를 참조합니다. 우선 맛있고, 부가 서비스가 좋고, 조리 시간이 짧아 배달이 빠른 순서로 주문이 밀려듭니다. 오프라인만을 고집하던 맛집들도 이제 온라인 주문을 필수로 생각합니다. 물리적 공간으로 찾아오는 손님에게서 일어나는 매출보다 배달 매출이 커진 지 오랩니다.

코로나19 이후 우리는 확실히 알게 되었습니다. 물리적 공간에서 하는 일은 디지털 공간에서도 이미 할 수 있었다는 것을 말입니다. 심지어 디지털 공간이 더 편리하기까지 합니다. 집 앞 분식집에라도 가려면 머리를 감고, 외출복을 입어야 하는 번거로움이 있습니다. 하지만 요즈음은 스마트폰 몇 번만 터치하면 얼굴도 모르는 배달원이 현관문 앞에 음식을 전해주고 갑니다.

온라인 수업의 보편화

학교 수업도 마찬가지입니다. 불과 1~2년 전만 해도 초, 중, 고등학교 수업을 온라인으로 한다는 것은 상상할 수도 없는 일이었습니다. 처음에는 우리 모두 적응하는 시간이 필요했지만, 학교에 못 가는 대신 온라인으로 수업을 받으며 공간과 시간의 제약을 덜 받는 온라인 수업의 편리함을 알아버렸습니다. 오프라인에 의존하던 학원들은 오프라인 환경에서 강의하던 유명 강사를 잃었습니다. 강사들이 월급을 포기하고 세 명 이하의 소그룹 과외로 고

소득을 올리게 되면서 학원은 휘청거렸습니다. 단, 온라인 시스템이 갖춰져 있는 대형 학원의 가치는 상승했고, 모든 학생은 온라인에 적응하면서 2020년을 보냈습니다.

우리의 문화생활도 변했습니다. 우리는 영화관에 못 가는 대신 영화 한 편 볼 비용으로 넷플릭스에 가입해 신작 영화뿐 아니라 전 세계의 콘텐츠를 몰아보게 되었습니다. 요즈음은 디즈니 TV까지 한국 시장으로 진출한다고 하니, 물리적인 영화관이라는 공간에 가는 일은 더 줄어들 것 같습니다. 최근 제작 중인 오리지널 콘텐츠는 영화관 개봉을 하지 않고 넷플릭스나 디즈니 TV에서만 볼 수 있기 때문입니다. 영화관 수입원이 영화 티켓 매출이 아니라 팝콘과 나초 판매라고 하더니 영화관 매출은 정말 눈에 띄게 줄고 심지어 하나둘 문을 닫고 있습니다.

소비자들은 온라인 쇼핑몰에서 물건을 사는 것이 오프라인으로 구입하는 것보다 익숙해지고 보니 먼 길을 운전할 필요도 없고, 무겁게 짐을 옮기지 않아도 된다는 사실을 깨달았습니다. 이동하는 차량이 줄어들고 사회적 거리두기가 시행되면서 맛집으로 유명하여 배달을 안 하던 외식업체까지 배달을 시작했습니다. 사람들은 이동하는 시간, 기다리는 시간을 절약할 수 있고, 자기 결정성이 높은 라이프스타일에 적응해 버렸습니다. 코로나19로 인한 물리적 공간의 제한 기간이 디지털 공간에 적응할 시간적 여유를 제공한 셈입니다.

메타버스 시대의 미래 직업, 진로 설계

앞에서 메타버스에 대해 길게 설명한 이유는 하나입니다. 이제 경제활동이 주로 온라인, 디지털 공간에서 이루어진다는 사실을 인식해야 합니다. 그래야 미래에 필요한 직업을 설계할 수 있습니다. 사람은 한번 익숙해지고 큰 불편을 느끼지 않고 적응하게 되면 그 생활방식을 좀처럼 바꾸지 않습니다. 처음 안드로이드폰을 쓴 사람은 아이폰에 적응하지 못하는 것과 비슷한 맥락이라고 하면 이해가 빠를 것입니다.

교육도 마찬가지입니다. 이제 온라인 교육에 익숙해진 학생들은 물리적 공간인 학교에 가는 것이 부담스럽고 귀찮은 일이 되고 말았습니다. 예전에 학교는 당연히 물리적인 공간을 오가는 곳이었다면, 이제는 온라인으로 수업을 듣고 심지어 시험도 치를 수 있는 곳이 된 것입니다. 코로나19는 우리가 당연하다고 생각했던, 바꿀 수 없다고 생각했던 일상에 질문을 던지기 시작한 것입니다.

"꼭 이 방법밖에는 없었던 것인가?"
"이것이 최선인가?"

질문은 우리가 발견한 문제가 되고, 문제를 해결하는 고민과 노력을 유도 합니다. 물론 처음에는 고민과 노력이 문제를 해결하기에 부적합한 방향일 수 있습니다. 사람들은 시행착오를 거쳐서 문제 해결 방법에 더욱 효율적으로 접근할 방법을 찾게 됩니다. 여기서 질문을 던지고 싶습니다.

"지금 우리의 미래 진로 교육, 이제 무엇이 최선일까요?"

시스템적인 변화가 진행 중인 현실, 위기를 기회로 생각하고 현재의 대한민국 교육에 관한 질문을 던져 보려고 합니다. 질문은 문제의 발견과 해결의 시작이 될 것이기 때문입니다. 특히 메타버스에 대한 인식을 하고, 인공지능과 메타버스 시대의 미래 진로 교육을 이야기하는 것이 매우 필요한 시점입니다. 이러한 시점에도 안정된 직장은 공무원밖에 없다는 현실이 안타깝습니다.

안정된 직장은 공무원밖에 없을까?

대학을 가고 또 사회에 나간 요즘 2030 세대들은 넘쳐나는 온라인상의 정보를 수집·분석하며 후배들에게 조언합니다.

"세상 안정된 직장은 공무원밖에 없다."

"비트코인 막차라도 타라."

"주린이들, 십만전자 갈 거다. 그거라도 꼭 사라!"

하지만 모두가 투자자가 되어야 하는 것은 아닙니다. 누구든 기본적인 소득원을 가지고 있어야 투자도 할 수 있기 때문입니다. 우리가 투자해야 한다, 안정된 직장을 찾아야 한다고만 생각하는 것은 직업을 단지 돈을 버는 수단으로만 여기는 직장의 개념으로 접근하기 때문입니다. 이제는 직장을 찾는 것과 동시에 창직(創職: 새로운 직종을 만드는 활동)을 해야 합니다.

이제는 금전적인 소득을 올리는 직업과 자아실현 · 자기만족. 행복을 위한 직업을 동시에 가질 수 있습니다. 다행스럽게도 현대의 젊은이들은 빠르게 생성되고 또 소멸하고 있는 산업구조 자체의 변화를 이해하려고 노력하고 있습니다. 그리고 온라인을 통해 후배들에게 조언하고, 그와 동시에 자신에 대해 돌아보고 자신의 콘텐츠를 찾는 일을 하고 있습니다.

"자신이 좋아하고 잘할 수 있는 것을 찾아라! 그것이 나만의 콘텐츠가 될 것이다."

2030 세대들은 안정된 직장이 사회적인 변화로 인해서 갑자기 사라지고,

물가는 급속히 오르고 월급에 의지하는 삶은 미래가 없다는 한계점을 인식하고 있습니다. 그리고 개인의 재능을 활용한 세컨잡(second job)이나 재테크를 통한 조기 자산축적, 개인의 콘텐츠를 활용한 창작물 유통에 관심을 기울여야 하는 현실을 직시하고 있습니다. 그래서 누구보다 똑똑하게 후배들에게 현실적인 충고를 할 수 있는 세대가 2030 세대라고 생각합니다. 특히 2030 세대가 주목하고 있는 직업군은 바로 콘텐츠 분야입니다.

메타버스 시대의 기업가치 변화

이렇게 산업 기반과 구조가 급속히 변화한 패러다임 시프트를 경험하며 팬데믹(pandemic) 기간에 많은 직업군이 빠르게 사라졌고, 카카오, 네이버, 쿠팡, 넷플릭스 등 킬러 콘텐츠를 보유한 온라인 플랫폼 회사들의 기업 가치는 10배 이상 상승했으며, 소프트웨어 개발자들의 몸값도 천정부지로 치솟고 있습니다. 이제 코엑스에도, 강남의 중심상권에도 사람이 예전만큼 많이 모이지 않습니다. 엄청난 인파를 동원하던 행사들은 온라인과 오프라인 하이브리드 방식을 더 선호합니다. 물리적인 한 공간으로 사람들을 모으는 일이 어려운 이유는 사람들이 온라인의 편리함에 익숙해졌기 때문입니다.

강남, 논현동의 대로변을 걷다 보면 화장품 가게나 옷가게가 있던 자리에 '임대'라는 표지가 붙어 있습니다. 그 매장들은 어디로 갔을까요? 바로 플랫폼 다시 말해 메타버스에 모여 있습니다. 그리고 이제 온라인 플랫폼, 메타버스에서 소비되는 콘텐츠의 생산은 코로나19를 계기로 전 세계에 문화를 전파하고, 고부가가치를 생산할 수 있는 의미 있는 일이 될 것입니다. 시장이 좁고, 인구가 적은 나라일수록 온라인을 통해 세계에 콘텐츠를 제공하는 것은 고효율로 수입을 창출할 수 있습니다.

코로나19 시대에 BTS는 오프라인 콘서트 대신 온라인 유료 콘서트를 택했습니다. 아마 '방방콘 The Live'를 많이 들어보셨을 겁니다. '방방콘(방에

서 즐기는 방탄소년단 콘서트)'은 처음에는 무료로, 예전에 했던 공연 실황을 모아서 보여주었습니다. 이렇게 기술적인 테스트를 거친 후 최근까지 '방방콘 The Live'는 실시간 콘서트를 중계하는 형태로 진화하면서, '2만 9,000원과 3만 9,000원의 가격'으로 90분간 진행되는 콘서트를 온라인으로 서비스했습니다.[2] 그 결과 전 세계인들이 접속하는 온라인 콘서트의 수익은 이전에 오프라인으로 진행했던 콘서트 수익의 약 10~16배였습니다. 그 사이 메타버스 플랫폼 안에서 온라인 콘서트와 온라인 전시를 하는 일은 매우 보편적인 일이 되고 있습니다. 서점에 가서 책을 구입하는 것보다 온라인으로 e-book을 보는 학생들이 늘고 있습니다. 그리고 인기 있는 게임, 웹툰, 웹소설을 즐기기 시작하는 나이가 초등학생에서 심지어 유치원생까지로 급속히 낮아지고 있습니다. 중국의 경우 인기 웹툰, 웹소설 작가들이 중학생인 경우도 많다고 합니다.

---

2) 코로나 온라인 콘서트 수익사업으로 바뀌나, 임희윤 기자
https://www.donga.com/news/article/all/20200603/101334562/1

줄어드는 일자리 VS 늘고 있는 일자리

이렇다 보니 세상이 너무 빨리 변한다는 기성세대들의 원망 섞인 푸념을 주변에서 많이 듣게 됩니다. 세상이 변하는 것은 어쩌면 당연한데 다수의 사람이 그 변하는 속도를 따라가지 못할 만큼 너무 급속도로 변하고 있어서 문제입니다. 디지털 일자리의 수요도 갑자기 변하고, 특히 코로나19가 시작된 이후부터 사람들은 물리적인 공간에서 급속히 메타버스[3] 공간으로 생활권을 이동할 수밖에 없었습니다. 그래서 물리적 공간에 맞는 서비스를 제공하던 사람들의 일자리가 가장 빠르게 줄었습니다.

많은 영화관이 문을 닫았고, 식당의 매장 영업도 제한되고, 노래방, 클럽, 찜질방 등 많은 사람이 모이는 오프라인 공간의 영업도 불가능하게 되었습니다. 주로 서비스업에 종사하던 사람들의 일자리가 갑작스럽게 줄어든 셈입니다. 또 그 이전부터 신기술과 인공지능이 일자리를 대체할 것이라고 예상되었던 일자리도 순식간에 사라졌습니다. 코로나19 상황에서 가장 먼저 많은 확진자가 발생한 콜센터 근무자들은 초기에는 재택근무를 했지만, 곧

---

3) 나를 닮은 또 다른 내가 현실 세계를 초월하여 살아가는 디지털 세상. 단어 자체만 보면 초월을 뜻하는 'Meta(메타)'와 세상을 뜻하는 'Universe(유니버스)'가 합쳐져서 현실을 초월한 공간을 일컫는 말, 김상균(2021), 메타버스, 플랜비디자인.

일자리를 잃었습니다.

인공지능 서비스를 만들던 대기업들은 즉시 사람이 하던 일을 챗봇으로 대체하게 되었습니다. 요즘 대기업에서 운영하는 콜센터로 전화를 걸면 거의 기계음으로 안내가 나오고, 음성인식으로 기본적인 응대를 한 다음 예외적인 상황에서만 사람이 전화를 받습니다. 또한 웹이나 애플리케이션에서 챗봇이 기본적인 상담업무를 수행하고 있습니다.

코로나19는 사람들이 은행에 직접 방문하는 것도 꺼리게 만들었습니다. 그래서 많은 은행 지점이 문을 닫았고, 주유소는 아예 셀프로 바뀌었으며, 보험설계사를 만나는 대신 온라인 보험을 선호하게 되었습니다. 코로나19로 우리는 안전하지 않은 낯선 사람들과 만나는 행동을 꺼리게 된 것입니다.

소비자들은 스마트폰을 활용해서 음식을 고르고 결재를 하고 배달을 시킵니다. 음식점에서 음식을 먹는 대신 배달 음식을 선호하게 되는 바람에, 현재 가장 활발하게 일자리가 늘고 있는 직종은 음식 배달 기사와 소프트웨어 개발자입니다. 온라인상에서 사람들이 주로 활동을 하다 보니 온라인 서비스 개발 일이 더 많아지게 되었습니다. 자신이 운영하는 오프라인 서비스를 온라인으로 알리지 않으면 오프라인에서도 많은 손님이 찾아오기를 기대하기 어렵습니다.

배달 일과 소프트웨어 개발, 이렇게 두 일자리를 비교해 보면 사실 정반대의 역량을 요구하는 일입니다. 누구나 원하면 참여할 수 있는 일과 전문 역량을 보유한 특정인이 할 수 있는 일이라는 것입니다. 먼저 배달일의 경우 자전거, 오토바이, 심지어 자신의 자가용을 이용해서 배달업에 뛰어든 사람들이 점점 늘고 있습니다. 젊은이들부터 주부와 노인들까지 배달 일을 전업 또는 부업으로 하고 있습니다.

재미있는 것은 이 업무를 효율적으로 배치하고 이들을 정확한 장소로 이동시키는 일을 어쩌면 컴퓨터 알고리즘, 인공지능이 하고 있습니다. 그리고 매일 이들의 움직임은 데이터가 되고, 소프트웨어 개발자들은 데이터를 이용하여 인공지능을 더 똑똑하게 학습시킵니다. 인공지능을 학습시키는 일은 배달원들도 함께하고 있습니다. 개인이 배달 가능한 지역과 물품의 양을 수시로 체크하며 선별하여 제일 효율적인 동선을 선택합니다. 개인의 선택이 반복되면, 인공지능은 가장 효율적인 동선을 개인에게 추천하게 됩니다.

이렇게 소프트웨어 개발자들과 오프라인으로 움직이는 개인들도 모두 인공지능 알고리즘을 학습시키고 있습니다. 따라서 메타버스 공간에서 개인의 움직임은 데이터가 되고, 결국 오프라인 공간의 움직임을 좌우하는 일을 결국 온라인에서 더 효율적으로 할 수 있으며, 인공지능과 5G와 같은 첨단 기술은 사람을 더욱 효율적으로 일하게 돕고 있습니다.

이미 온라인상에서 이미 물리적 공간을 제어하고 있습니다. 아직 상용화되지는 않았지만, 자율주행 자동차의 경우 물리적 공간에서의 이동을 디지털 공간에서 데이터를 기반으로 통제합니다. 사물인터넷이라고 불리는 IoT(Internet of Things)는 인터넷을 기반으로 모든 사물을 연결하여 정보를 상호 소통하는 지능형 기술 및 서비스[4] 를 의미합니다. 자율주행 자동차는 인터넷이 연결된 하나의 사물일 수 있습니다. IoT로 가장 진화한 기기는 스마트폰이며, 사람들은 스마트폰 하나로 이제는 거의 모든 서비스를 이용할 수 있습니다.

서비스를 이용하려면 소비할 돈이 있어야 합니다. 대부분의 사람은 수입을 얻기 위해 직업을 갖고 일을 합니다. 그렇다면 이렇게 변화한 시대에 어떤 직업이 유망하며, 또 많은 사람을 필요로 할까요?

우리나라처럼 인구는 줄고 있고, 돈이 되어 해외에 수출할 자원은 부족한 경우, 물리적인 공간에서 사람들의 이동이 줄어들수록 육체노동으로 발생하는 수입에 의존해서 생활하기에는 한계가 있습니다. 또한, 좋은 제품을 만들어서 수출하면 좋은데, 코로나19 같은 상황에서는 비행기나 배의 이동도 원

---

4) 네이버 지식백과

활하지 않아서 물리적으로 제품을 수출하기도 쉽지 않습니다. 그렇다면 어떤 직업이 유망한 직업일까요?

문화 콘텐츠 분야 일자리

우리나라 사람들이 가지고 있는 자랑스러운 문화적 자원을 온라인을 통해 세계 시장에 판매하는 일과 연계된 직업이 가장 유망하고 좋은 직업이 될 수 있습니다.

예를 하나 들어보겠습니다. 최근 주목받는 직업인 웹툰 작가의 경우가 전망이 밝은 대표적인 직업입니다. 온라인 플랫폼에 자신의 만화를 업로드하고 나면 반영구적으로 서비스할 수 있습니다. 사람들이 네이버나 카카오 같은 플랫폼에서 웹툰을 다운받을 때마다 작가에게는 인세 수입이 발생합니다. 국내 인기 웹툰 작가의 수입은 1년에 수십억 원을 넘어섰는데, 이는 세계적인 플랫폼에서 판매되기 때문입니다.

우리나라보다 인구가 많고 웹 콘텐츠에 대한 소비가 많은 중국의 경우 최상위 웹툰 작가들의 1년간 개인 수입은 170~200억 원에 달합니다. 대부분의 웹툰 작가는 웹툰의 소비자이기도 합니다. 소비자+생산자를 합해서 프로슈머라고 합니다. 저자가 웹툰 작가의 입문 과정을 인터뷰한 적이 있었는데, 원래 만화를 좋아해서 따라 그리기도 하고, 어느 순간 '나도 할 수 있겠다'라는 생각이 들면서 웹툰 작가에 입문했다고 합니다.

웹소설도 마찬가지입니다. 코로나19 시대에도 커피전문점에 가면 노트북을 켜 놓고 웹소설을 쓰는 사람들을 보게 됩니다. 아침에 한 편씩 규칙적으로 업로드를 하는 웹소설 작가의 경우, 한 번 써 놓은 글이 지속적으로 판매가 되면서 쉬는 날에도 수입을 창출할 수 있습니다. 웹소설 작가는 책을 디자인하고 만드는 과정 없이 자신의 글을 플랫폼에서 바로 판매할 수 있습니다.

최근 카톡으로 대화를 많이 하다 보니 카카오톡 이모티콘을 만들어서 판매하는 억대연봉자도 등장했습니다. 또한 아이디어가 많은 어떤 디자이너는 셔터스톡 같은 유로 다운로드 사이트에 자신의 디자인 이미지를 업로드해 놓고, 디자인이 판매될 때마다 저작권 수입을 벌어들입니다.

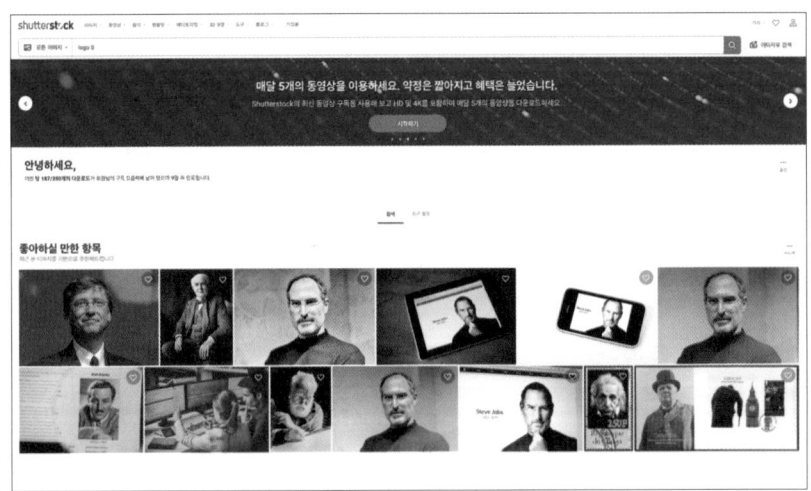

디자인 템플릿을 판매하는 셔터스톡

애플리케이션 개발자들도 많은 수입을 벌어들이고 있습니다. 예를 들어 수학 문제를 사진으로 찍으면 이미지에 있는 글자를 인식하는 인공지능 API를 만들어서 특허를 내고 법인을 설립하여 창업한 인공지능 개발자가 있습니다. 법인에서 그 기술을 공유하고 사용하는 사람들에 대해서 특허 사용료를 받는다면 어떨까요? 본인이 개발한 기술로 지속적인 수입을 벌어들일 수 있습니다. 물론 더 좋은 기술이 개발되기 이전까지 수입이 창출될 것이므로 개발자는 지속해서 더 우수한 인공지능을 개발하려고 하겠지요.

무에서 유를 창조하는 콘텐츠 크리에이터

무에서 유를 창출하는 일을 하라고 한다면 "그게 쉬운가? 그게 어떻게 아무나 할 수 있는 일인가?"라고 말할 수 있지만, 리스크가 제일 적은 사업이 무에서 유를 창출하는 콘텐츠 크리에이터라고 생각합니다. 콘텐츠라는 제품의 재료는 상상력이고 결과물은 디지털 콘텐츠이며 온라인 서버에서 유통됩니다. 대표적인 사례가 바로 유튜브 크리에이터입니다. 영상 콘텐츠 분야에서 예를 들면, 과거에는 방송국에 영상을 납품하고 제작비를 받았습니다. 하지만 이제는 자신의 핸드폰으로 찍은 영상을 유튜브에 올려서 구독자들이 보는 광고로 수입을 얻을 수 있습니다. 자신의 차별화된 콘텐츠와 고성능 스마트폰이 만나면, 무에서 유를 창조하는 콘텐츠가 됩니다.

누구나 자신의 콘텐츠를 플랫폼에 탑재할 수 있고, 이는 세계적으로 팔려 나갑니다. 이렇게 글로벌 플랫폼들의 성장으로 급속히 창의적인 산출물로 고소득을 벌어들이는 디지털 일자리가 늘어나고 있고, 누구나 시간과 장소에 구애받지 않고 참여할 수 있는 분야가 바로 콘텐츠 크리에이터 직업 분야입니다. 콘텐츠 크리에이터 활동 분야는 정말 넓습니다. 대표적으로 유튜브 먹방은 SNS를 타고 순식간에 대박집을 만듭니다. 치과의사는 치료 노하우를 유튜브에 공개하면서 자신의 치과를 홍보하고 더 유명해지기도 합니다.

이렇게 온라인에 대한 이해, 메타버스에 대한 이해가 있어야 더 많은 수입을 창출할 수 있고, 오프라인 서비스의 많은 부분을 디지털 트랜스포메이션(digital transformation)해야 변화하는 시대에 적응하며 자신의 콘텐츠를 더 가치 있게 만들 수 있습니다.

내가 좋아하고 내가 잘하는 것: 나만의 콘텐츠 상품

이렇게 경제의 축이 온라인으로 이동하다 보니 학교생활 열심히 하고 교과 공부 잘하고 좋은 대학에 가면 성공한다는 논리에 반대되는 성공 사례들이 많이 등장하고 있습니다. 수학은 포기했지만, 수학책에 만화를 그리다가 웹툰 작가로 성공한 사례도 있고, 낚시를 좋아해서 낚시 유튜브 인플루언서가 되는 예도 있습니다. 요즈음 TV를 보면 동물훈련사인 강형욱 씨나 아낌없이 비법을 공유하는 요리연구가 백종원 씨와 같이 자신의 전공이나 학위와 관련 없이 꾸준한 연구와 노력으로 전문가가 되어 성공하는 사례가 더 많은 것 같습니다. 하지만 뛰어난 성적으로 고등학교를 마치고 명문 대학에 입학해 우수한 성적으로 졸업했는데 취업할 곳이 없는 사람들도 많습니다. 어떤 차이일까요?

바로 나만의 콘텐츠, 가장 개인적이지만 가장 창의적인 그 콘텐츠를 아직 찾았는가, 찾지 못했는가의 차이입니다.

'내가 좋아하는 것, 잘하는 것을 찾았는가?' 하는 것입니다. 지금까지 나는 누구인가, 무엇을 좋아하고, 무엇을 하고 싶은지에 대해 탐색하고, 자아를 찾고 자아를 실현하는 방법과 전략을 배우는 교육이 아니었습니다. 시작부터 서열화하고, '돈'을 잘 버는 직장을 구하는 방법의 하나로 명문 대학 입시를 모두의 목표로 하는 데 12년을 보내고 있는 학교는 전혀 변하지 않았습니다. 불과 몇 년 전까지만 해도 이러한 성공 공식은 맞아떨어졌고, 또 성공사례도 많았기 때문입니다. 하지만 이제 이전의 성공 공식이 통하지 않는 코로나19 이후의 미래를 준비해야 하는 시점입니다.

2장부터는 변화하는 세상에서 인공지능의 시대에도 사라지지 않고, 메타버스 시대에 더 부가가치를 창출할 수 있는 직업을 소개하려고 합니다. 게임 개발자, 인공지능 챗봇 개발자, 웹툰 기획자, 웹툰 작가, 미래 교사이자 작가, 스토리 텔러 및 제작자라는 직업 그리고 그 직업과 연계된 또 다른 직업들은 학생 여러분도 많은 관심이 있는 영역일 것입니다. 이제 메타버스의 시대에 고부가가치를 창출하는 일을 하고 계신 전문가들의 이야기를 들어보도록 하겠습니다.

CHAPTER 02
웹툰 프로듀서,
스토리 크리에이터 /
웹툰

신도형

현재 웹툰 제작회사 (주)투유드림 이사
한성대학교 크리에이티브 인문학부 겸임교수

1999년~2006년 한성대학교 응용어문학 학사,
　　　　　　　　홍익대학교 광고홍보대학원 석사
2005년~2010년 광고 AE, 브랜드 컨설턴트
2010년~2021년 스토리 컨설턴트, 피칭 디렉터
2015년~2021년 영화, 드라마, 웹툰 스토리 작가
2019년~2021년 웹툰 프로듀서, 스토리 크리에이터,
　　　　　　　　영상 제작자
2015 대한민국 스토리공모대전 최우수상

다수의 드라마, 영화 시나리오 집필
다수의 제작 웹툰 프로듀싱

E-mail: zzzoom@naver.com

02

웹툰 프로듀서,
스토리 크리에이터 / 웹툰

저는 현재 웹툰을 만드는 회사인 투유드림이라는 곳에서 일하고 있습니다. 웹툰을 기획하고, 스토리를 만들고, 작화 작가님들과 그림을 개발하고 네이버 웹툰이나 카카오 페이지 등의 웹툰 연재사이트에 웹툰을 서비스하는 전체적인 기획, 제작 프로세스에서 의사결정을 하고 총괄하는 업무를 담당하고 있습니다.

투유드림에서 제작한 웹툰 캐릭터들 (출처: 투유드림)

요즘 여러분들도 웹툰을 많이 보고 계실 거로 생각합니다. 웹툰이라고 하면 다들 처음으로 떠올리는 곳이 바로 네이버 웹툰일 텐데요. 네이버 웹툰은 국내 웹툰 시장에서 가장 많은 독자를 확보하고 있습니다. 다음은 카카오 페이지라는 플랫폼입니다. 카카오 페이지는 웹소설로 출발하여 성장한 회사로, 현재는 네이버 웹툰과 함께 웹툰 시장의 양대 산맥을 이루고 있습니다.

네이버웹툰과 카카오페이지 로고 (출처: 네이버웹툰, 카카오페이지)

혹시 여러분은 OSMU(one source multi-use)라는 얘기를 들어보셨나요? 하나의 이야기를 가지고 다양한 매체에 적용하여 파급효과를 노리는 마케팅 전략인데요. 이 부분은 뒤에서 한 번 더 설명해 드릴게요. 쉽게 말해서 처음 웹소설로 쓰인 이야기가 웹툰으로도 만들어지고, 영화나 드라마로도 만들어지고, 애니메이션으로도 만들어지면서 그 인기가 계속 이어지고, 서로 시너지를 낼 수 있도록 win-win 하는 것을 말합니다. '이태원 클라쓰', '경이로운 소문', '승리호', '나빌레라' 등등 인기 웹툰을 영화나 드라마로 제작한 사례는 아주 많습니다. 카카오 페이지의 원작 웹소설을 웹툰으로 만들었다가 드라마로 제작한 '김비서가 왜 그럴까?'라는 작품은 유명한 사례이지요.

웹툰과 웹소설의 OSMU 사례 (출처: 카카오페이지)

　웹툰에서는 이렇게 웹소설을 원작으로 하여 웹툰을 만드는 경우가 가장 보편적인 OSMU의 형태인데요, 이런 방식을 '노블코믹스'라고 합니다. 인기 많은 웹소설의 기존 독자층 팬덤을 웹툰으로 끌어올 수 있다는 장점이 있으므로 아주 활발하게 이루어지고 있습니다.

　드라마, 영화에서는 원작이 있는 웹툰을 많이 사용하는데, 영상을 TV나 극장, 스마트폰에서 보기 때문에 그림으로 그려진 웹툰을 통해 상상하기가 훨씬 쉽기 때문입니다.

　추가로 다양한 원작들이 영상뿐 아니라, 게임이나 연극, 뮤지컬 등으로 만들어지는 사례도 많이 있습니다. 팬덤을 확보한 작품들이 2차, 3차의 OSMU로 만들어지는 것이 일반적이지만, 최근에는 처음부터 OSMU를 목적으로 기획하는 사례도 많아 늘어나고 있습니다. 저도 그런 OSMU 기획을 준비하다가, 적당한 작가들을 선정하기 어려운 경우가 종종 있었는데, 그러다 보니 직접 기획한 작품으로 여러 가지 콘텐츠를 창작하기도 했으니까요.

웹툰, 웹소설 제작사

그럼 여러분들께서 재밌게 보셨던 이런 작품들은 과연 어떻게 만들어지는 것일까 궁금하지 않으신가요? 아마 웹툰을 보시면서 나도 웹툰 그림 작가가 되고 싶다거나 혹은 웹툰 스토리 작가가 되고 싶다는 분들도 계실 것입니다. 재미있고 인기 많은 웹툰, 웹소설을 만드는 회사에 들어가고 싶다거나 나도 저런 웹툰을 한번 제작해 보고 싶다는 친구들도 있을 텐데요, 웹툰은 작가 혼자서도 만들기도 하지만 웹툰 대부분은 설정한 분업, 바로 시스템을 통해 만들어집니다.

여러분께서 일주일에 한 편씩 보는 그 웹툰들이 분량이 적다거나, 작가가 휴재한다고 해서 실망하고 또 불만을 가진 적도 분명 있으실 겁니다.

근데 웹툰을 작가 혼자서 일주일에 한 편씩 만들어 내기는 정말 쉽지 않은 일입니다. 그래서 현재 웹툰은 철저한 분업화로 제작되고 있고, 저희 투유드림 같은 제작사가 분업 시스템을 관리하고 선투자하여, 웹툰을 좀 더 무리 없이 여러분께서 즐길 수 있도록 하고 있습니다. 영화가 한 편 만들어지려면 감독, 작가, 배우도 필요하지만, 그 이면에는 프로듀서, 조명, 촬영, 시나리오 각색 등등 많은 분이 함께합니다. 웹툰에서도 작가님들이 주목받긴 하지만 그 작품들의 배경을 담당하고, 그 작품에 색을 입히고, 구조를 잡는 프로듀서 등 많은 분이 그 시스템을 함께 이끌어 가고 있습니다.

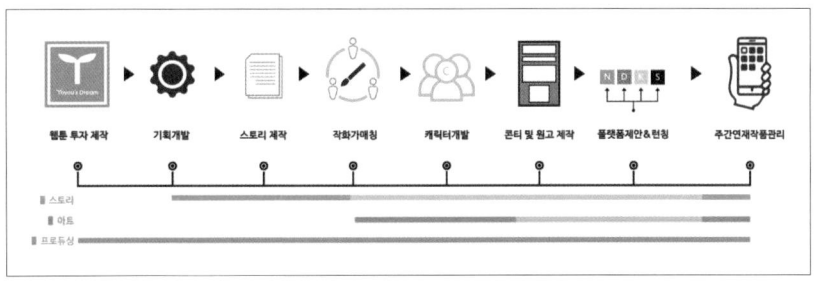

웹툰 제작의 프로듀싱 시스템

제가 일하고 있는 투유드림은 1세대 웹툰 제작사로 출발한 회사입니다. 다양한 장르의 웹툰을 만들고, 그 웹툰을 바탕으로 영화나 드라마 웹·모바일 애니메이션 등을 만들기도 합니다. 그리고 그 웹툰과 영상들을 태국이나 인도네시아 같은 동남아 시장은 물론 미국이나 유럽의 시장에까지 수출하고 있습니다. 여러분께서 훗날 웹툰 관련 직업을 갖게 된다면 아마도 이런 프로세스는 더 세계화되어 있을 것입니다. 원천 스토리를 사고파는 국제적인 마켓들이 온라인에서 생겨나고 있으니 그리 머지않은 미래에 다가올 수 있는 일이겠지요. 지금도 K-웹툰이라는 용어가 생겨날 정도로 우리 웹툰의 위상이 높아졌는데, 전문가들은 앞으로도 K-웹툰의 가치가 점점 더 커지고 그 인기도 더욱 높아질 것이라고 예측하고 있답니다.

웹툰 론칭 과정

웹툰을 제작하는 과정을 한번 설명하겠습니다. 재미있는 이야기가 있는 스토리 작가가 있고, 그림을 잘 그리는 그림 작가가 있습니다. 물론 네이버 웹툰의 베스트 도전이나 기타 플랫폼에 개인이 창작한 웹툰을 무료로 연재하다가 계약을 하는 경우도 많습니다. 공모전에 참여할 수도 있고요. 하지만 제작사가 기획하여 제작하는 것이 사실 안정적입니다. 혼자 하다 보면 작가가 건강에 무리가 올 정도로 힘든 작업이 웹툰을 주 1회 연재하는 일이기 때문입니다.

여러분들이 재미있는 스토리나 그림이 있고, 출판하고 싶으면 제작사에 투고하는 것이 데뷔의 첫 단계입니다.

웹툰 제작사에 기획서와 3회 정도 분량의 투자 제작을 요청하면 제작사 내부에서는 PD들이 공동 검토를 하여 의사결정 회의를 합니다. 그래서 제안한 작품과 기획에 대해 제작 투자를 하기로 하면, 최초 제안한 작가가 그림과 글을 모두 진행하는 경우에라도 도움을 주는 글 작가와 콜라보를 할 수 있게 지원하기도 합니다. 조건을 맞춰서 계약하고 작품을 제작하는 데 무리가 없도록 미리 인세 비용을 지급하는 것이 다음 스텝이죠.

웹툰 프로듀싱 회의

하지만 작가가 웹툰을 그리기 시작했다고 해서 바로 연재하고 작품이 출시

되는 것은 아닙니다. 담당 PD와 기획 개발을 진행하게 되고, 기획관리가 끝난 다음에는 전반적인 스토리 제작이 들어가며, 그 이후에 캐릭터를 개발하거나 추가로 개발한 캐릭터가 있다면 캐릭터를 보완하게 됩니다. 또 콘티와 원고를 개발하고, 어느 정도 연재할 작품의 수가 완성되면 네이버 웹툰, 카카오 페이지, 다음 웹툰, 네이버 시리즈 등에 론칭하는 단계로 넘어갑니다. 연재하기로 한 플랫폼과 진행 가능한 이벤트에 대해 협의도 하고, 홍보도 하게 됩니다. 이렇게 해서 순조롭게 연재가 시작되면 제작사에서는 한 주 한 주 댓글을 모니터링하고, 추가 이벤트를 붙이기도 합니다.

하지만 제작사에서 하는 제일 중요한 일은 작가들을 서포트하는 일입니다.

연재가 시작되면 기본 1년 정도, 혹은 그 이상 쉬지 않고 계속 창작에만 열중하기 때문에 힘들 수밖에 없습니다. 그렇게 연재를 진행하는 일은 결코 쉬운 일이 아니고, 간혹 악플들이 달리면서 정신적인 충격을 받는 작가들도 있습니다. 그래서 프로듀서들은 작가들이 멘탈을 관리할 수 있도록 돕는 일, 마감 일정을 체크하고 조정하는 일도 함께합니다.

웹툰, 웹소설 분야의 직업

웹툰, 웹소설이 론칭하는 과정에서 정말 여러분들의 생각보다 많은 사람이 제 역할을 합니다. 작품의 톤 앤드 매너를 담당하는 디자이너가 있을 수 있고, 남성향 작품의 경우만 주로 담당하는 프로듀서가 있을 수 있고, 한국에서 연재 중인 다양한 웹툰 작품들을 수출하는 담당이 될 수도 있습니다. 그리고 해외에서 론칭할 수 있게 매니저를 하는 매니지먼트 사업을 담당하는 사람도 필요합니다. 그사이 괜찮고 재미있는 웹소설을 보고 이걸 웹툰으로 만들면 좋겠다고 제안하는 기획 PD도 있습니다.

웹툰, 웹소설과 연계하여 직업군은 정말 많고, 세분되어 있습니다. 또한 웹툰 시장이 성장하면서 여러분들이 아시는 것보다 훨씬 많은 웹툰 연재 플랫폼이 있어서 일자리도 늘어나고 있습니다.

네이버 웹툰, 네이버 시리즈, 카카오 페이지, 다음 웹툰, 레진코믹스, 탑툰, 리디북스 등이 국내에서 대표적인 플랫폼이라면, 해외에는 국내보다 다양한 플랫폼이 존재하고, 그 규모도 거대합니다. 사실 해외에는 웹툰이라는 말이 없었습니다. 만화책이나 만화 잡지로만 보던 만화가, IT의 발전에 따라 인터넷 기기로 들어왔고, IT 강국인 대한민국은 웹상에서 볼 수 있는 만화, 즉 웹툰이라는 이름의 새로운 매체를 만들어냈습니다. 가장 한국적인 것이 가장 세계적인 것이 되어버린 겁니다. 그래서 이제는 해외에서도 대한민국의 웹툰을 긍정적이고 적극적으로 받아들이고 있고, 앞으로도 해외 웹툰 시장은 계속 발전해 나갈 것입니다. 해외에서 국내 웹툰 회사에 투자하기도 하고, 국내 대기업들이 해외 플랫폼을 사들여서 해외에 직접 판매를 주도하기도 합니다.

투유드림이 개발한 대표적인 웹툰 소개

웹툰은 큰 카테고리에서 독자의 성별에 따라 남성향 웹툰과 여성향 웹툰으로 나눌 수 있습니다. 남성들은 친구들과 액션이나 학원물 등을 좋아할 테고, 여성들의 다수는 로맨스 판타지 작품을 좋아할 것입니다. 그런 구분이 없을 수도 있겠지만, 시장에서는 통계를 통해 대략 그렇게 구분하고 있습니다.

잠깐 환기하기 위해 남성향 웹툰의 트레일러에 대해 말씀드리겠습니다. 웹툰 작가가 되고 싶고 재미있는 이야기가 있는 청소년 여러분들은 눈여겨 봐주시면 좋겠습니다. 네이버 웹툰에서 인기리에 연재 중인 누아르 액션물 '캐슬'이라는 작품인데, 아직 안 보신 분들은 동영상 사이트에서 웹툰 트레일러를 한번 찾아보시면 됩니다. 트레일러란 소위 여러분이 생각하는 영화에서 예고편 같은 역할을 하는 영상인데, 웹툰에 흥미를 느끼고 볼 수 있도록 독자들에게 안내하는 그런 영상을 말합니다.

웹툰 '캐슬' 트레일러(https://www.youtube.com/watch?v=wKX7AwncE8s&t=8s)

다음으로는 카카오 페이지의 로맨스 판타지 웹툰 '막내 황녀님'입니다. 앞서 말씀드렸던 원작 웹소설을 웹툰으로 만든 노블코믹스 작품인데, 해당 작품의 트레일러 영상은 웹툰의 맨 첫 화에 소개되어 있으니 한번 살펴보시면 웹툰을 보기 전에 더 흥미가 생길 거라고 생각되네요.

웹툰 '막내 황녀님'

다음으로 웹툰 프로듀서의 직업에는 어떻게 입문할 수 있는지를 설명드리도록 하겠습니다. 아래 이미지는 투유드림이 채용사이트에 올리는 신입사원 채용공고 중 일부입니다. 보시는 것처럼 웹툰에 대한 덕력이 필수입니다. 웹툰 프로듀서는 학력, 전공과 전혀 상관없이 얼마나 많은 작품을 재미있게 보고 있느냐가 매우 중요합니다. 아무래도 많이 본 친구들이 잘 기획하고 잘 제작할 수밖에 없습니다.

내가 좋아하는 웹툰을 전 세계인들이 같이 좋아한다는 것은 더욱 좋은 거니까 이제 웹툰은 작가뿐 아니라 프로듀서가 점점 더 중요해지는 시장이 되어가고 있습니다. TV 프로그램을 만드는 나영석 PD나 김태호 PD 등의 연출자들과 웹툰 PD가 비슷하다고 생각하시면 될 것 같습니다. 방송을 예로 들면 출연하는 연기자나 배우나 예능인들도 중요하지만, 그 PD들이 어떻게 이끌어가고 창의성을 발휘하느냐에 따라 그 방송이 재미있어지고 재미없고 하는 부분들

투유드림
신입사원
채용공고

(주)투유드림은 웹툰 기획/제작을 기본으로 원작의 2차저작에도 적극적으로 참여하고 있는 대한민국 N세대 웹툰기획사입니다.
웹툰을 좋아하고 창의력 넘치는 분들의 많은 지원이 있기를 기대합니다.

이런사람!!

웹툰 PD + SPECIAL TASK

신입사원

웹툰에 대한 덕심 필수!!

협업을 즐기는 비즈니스 마인드

웹툰도 글로벌!!
영어, 일본어 좀 합니다!!

이 분명히 존재합니다. 그런 부분들을 저희는 PD들의 창작력과 기획력을 높이기 위해 잘 놀게 해주고 있습니다.

논다는 것은 '재미'를 추구하는 활동입니다. 그래서 실제 우리의 채용공고에도 그렇게 적혀 있는 거죠. 앞서 말씀드렸듯이 웹툰 시장이 점점 성장하고 있는 미래 유망직종이어서 웹툰을 직업으로 한다면 수입이나 보람은 물론 일하면서 재미도 느낄 수 있습니다. 그러나 어떤 학문적인 공부를 한다고 웹툰 프로듀서가 될 수 있는 것이 아닙니다. 물론 콘텐츠학과 공부를 한다면 좀 더 유리하기는 하겠지만요.

웹툰 프로듀서의 가장 첫 덕목은 많이 보고 좋아해야 하는 것입니다. 내가 좋아하는 작품, 내가 보고 싶은 작품을 기획하고 프로듀싱하면서도 다른 프로듀서들의 작품에 의견을 줄 수 있어야 하니까요. 그렇게 진행이 되면 실제 작품이 출시되었을 때 각자의 의견들이 어떤 효과와 반응을 끌어냈는지를 보게 되고, 그런 경험들이 전문가로 성장하는 데 도움이 됩니다.

간혹 자신의 의견만 너무 고집하거나 다른 프로듀서들에게 조언할 의사가 없는 경우 협업하기 어려운 부분이 있습니다. 여러 사람의 의견을 듣고 결국 자신이 최상의 결정을 할 수 있는 사람이 프로듀서가 되어야 합니다. 요즈음은 복합장르가 대세라 프로듀서의 경우 특정 장르만 잘 알고 있는 것보다 얼

마나 다양한 장르 여러 개를 볼 수 있는 안목을 가지고 있느냐 하는 것도 꿍
장히 중요합니다. 또 아까 설명했다시피 저희 같은 제작사들이 해외로 진출
하고 있고, 내가 만든 작품이 어느 나라로 수출될지 모르니 혹시나 추가로 해
외에서 살았던 경험이 있거나 특정 언어능력 같은 글로벌 마인드도 좋습니
다.

OSMU(one source multi-use)

웹툰 PD 일을 하게 되면 한 가지 더 재밌는 게 있는데 처음에 말씀드
렸던 OSMU입니다. 웹툰 PD들은 웹툰의 IP를 가지고 2차 사업, 즉 영화
나 드라마, 넷플릭스 등으로 진출하기 위해 노력하고 있는데, IP라는 것은
Intellectual Property라고 해서 지적 재산을 의미합니다. 이해하기 편하게 설
명하자면 웹툰의 원작을 떠올리시면 됩니다.

웹툰 PD는 가치 있는 저작권 웹툰 IP를 고르고 발굴하고 선별해서 영화나
드라마 혹은 넷플릭스 같은 OTT(Over The Top)라고 하는 짧은 영상 애니메

이션으로 제작하는 게 나은지 등을 고르게 됩니다. 그리고 함께할 수 있는 제작사나 방송사와 함께 제작팀을 구성해서 캐스팅은 어떤 배우가 할 것인지, 어떤 감독이 할 것인지 등을 정하고 전체적으로 프로젝트 관리를 통해 영상 콘텐츠를 제작하는 전 과정의 일을 진행하고 있습니다.

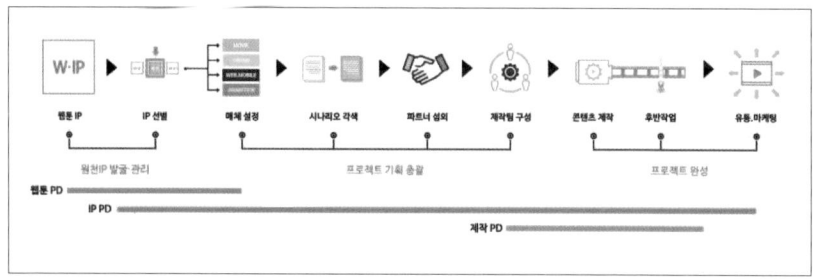

웹툰 IP로 OSMU를 진행하는 프로세스

지금은 글로벌 OTT인 넷플릭스 말고도 국내 OTT로 웨이브, 티빙, 쿠팡 플레이 등의 새로운 플랫폼이 많이 늘어났습니다. 그리고 곧 디즈니와 아마존, HBO, 애플TV도 한국에 들어온다고 합니다. IP만 가지고 있다면 그 어떤 곳들과도 협업하여 열심히 콘텐츠를 만들어 갈 수 있겠죠. 그래서 원작 IP가 매우 중요한 상황입니다.

특히나 시리즈를 쭉 이어가고 있는 인기 웹툰들은 마블의 영화 '어벤져스'처럼 그들만의 세계관을 가지고 있습니다. 그리고 그런 세계관을 가진 웹툰들은 팬덤을 확보할 수 있고, 장기적으로 성장할 수 있는 요소들이 많아 다들 세계관을 구축하기 위해 노력하고 있습니다.

투유드림 웹툰에도 그런 세계관을 가진 작품이 있는데, 남성향으로 큰 인기를 얻고 있는 '통'과 '독고' 시리즈입니다. 이 작품의 세계관을 저희는 작가님들의 성함을 따서 민백두유니버스라고 부릅니다. 영화로 만들어져 남학생들에게 인기가 높았던 '통 메모리즈'와 아이돌그룹 엑소의 세훈 씨가 주연을 맡은 '독고 리와인드'라는 드라마가 대표적입니다.

현재 '통'과 '독고' 시리즈를 영화와 드라마로 계속 만들고 있으며, 스핀오프의 작품도 진행 중입니다. 스핀오프는 원작의 캐릭터를 따라 새로운 캐릭터가 새로운 스토리를 엮어가는 방식인데, 어벤져스를 예로 들면, 각각의 히어로들의 이야기가 스핀오프이고, 그들이 모두 만나서 벌어지는 어벤져스 영화가 본편이 되는 것입니다.

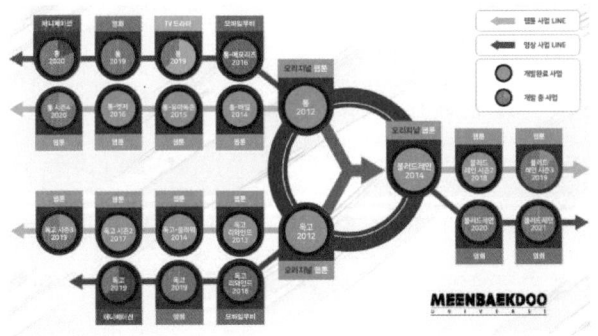

세계관을 가진 웹툰의 IP 확장 사례

이러한 오리지널 세계관은 계속 웹툰, 드라마, 애니메이션, 게임까지 확장될 것을 염두에 두고 기획하기도 합니다. 웹툰을 영화로 제작하는 일은 이미 많아졌고, 대부분의 웹툰 제작사들이 이렇게 영상이나 그 외 다양한 방식으로 IP의 확장을 시도하고 있습니다. 저희도 마찬가지로 민백두유니버스를 오리지널 웹툰에서 모바일 무비 영화 그리고 드라마 애니메이션 게임까지 활발하게 확장하고 있습니다.

IP의 글로벌화

이 외에도 해외 회사들과 합작하여 프로젝트를 진행하기도 합니다. 스토리는 국내 작가가 쓰고, 그림은 해외 작가가 그리는 방식도 있으며, 글과 그림을 전부 외국 작가가 진행하고, 한국에서는 프로듀싱만 하는 경우도 있습니다.

또 국내 작품을 영어나 스페인어, 일본어로 번역해서 다양한 해외 시장에 진출하기도 합니다. 현재 가장 핫한 해외 시장은 일본과 미국입니다. 일본은 예전부터 만화 강국이었기 때문에 웹툰에 대해서 빨리 받아들였고, 웹툰을 즐기는 유저들도 상당히 많습니다. 네이버와 카카오도 일본 시장에 진출해 큰 성과를 거두고 있습니다.

미국 시장 역시 새로운 도전의 시장입니다. 네이버 웹툰은 모기업인 웹툰 엔터테인먼트의 본사를 미국으로 옮겼고, 카카오엔터테인먼트(카카오m과 카카오페이지의 합병) 역시 미국의 콘텐츠 회사들을 인수하며 미국 시장을 적극적으로 공략하고 있지요. 이제 우리의 웹툰을 전 세계에서 더 많이 볼 날이 점점 다가오고 있습니다.

네이버와 카카오의 콘텐츠 경쟁

네이버	분야	카카오
네이버웹툰	국내 웹툰	카카오페이지, 다음웹툰
네이버 시리즈	국내 웹소설	카카오페이지
라인망가	일본 웹툰	픽코마
웹툰엔터테인먼트, 태피툰	북미 웹툰	타파스
왓패드	북미 웹소설	래디쉬

출처: 매일경제

이렇듯 우리나라의 웹툰들은 지금도 세계 여러 곳으로 수출되고 있습니다. 동남아시아, 인도네시아, 태국, 베트남 등의 주요 거점 시장에 진출해 있고, 북미 시장 그리고 프랑스 등의 유럽에서도 전 세계 독자들을 만나고 있습니다.

마지막으로 웹툰의 히스토리에 대해 설명해 보겠습니다. 만화책보다 웹툰을 먼저 접한 친구들도 있겠지만, 사실 웹툰이 시작된 지는 그렇게 오래 되지 않았습니다. 투유드림이 1세대 웹툰 제작회사로 불리는데, 웹툰 시장은 2003년 이후에 본격적으로 생겨나기 시작했습니다.

처음에는 신문 만화로 출발했는데, 여러분은 잘 모르시겠지만, 예전에는 종이신문이나 스포츠 신문 등에 만화가 연재되었습니다. 사람들이 신문을 읽으면서 만화도 보고 그랬던 거죠. 그러다가 포털사이트들이 생겨나기 시작했습니다. 지금의 네이버나 다음 같은 사이트인데, 그 사이트들은 사용자들을 모으기 위해서 웹툰을 무료로 연재하여, 유저들을 끌어모으려고 했던 겁니다. 그러던 웹툰이 점차 유료 시장으로 전환되었고, 웹소설과 웹툰 시장이 급격하게 성장하면서 여러분들이 흔히 말하는 쿠키 굽는, 캐시를 충전하는 시대가 되었습니다.

웹툰 프로듀서를 꿈꾸는 학생들에게

이제 웹툰 시장은 지금까지 성장한 것보다 더 크게 성장할 것입니다. 그리고 그 성장에는 이 책을 읽으시는 여러분들이 한 축이 될 수도 있을 것입니다. 훗날 웹툰과 관련된 직업을 갖게 된다면 아마도 크게 두 가지일 겁니다. 하나는 작가이고 다른 하나는 프로듀서일 텐데요. 작가로서는 당연히 재미있는 이야기를 만들고 그릴 줄 알아야 하는 능력이 필요하고, 웹툰 프로듀서로서는 통찰력과 안목이 요구됩니다. 그렇다면 안목은 어떻게 키울 수 있을까요? 답은 아주 간단합니다. 장르와 매체를 가리지 않고 콘텐츠를 많이 보는 것! 바로 그것입니다.

최근에 제가 '놀면 뭐 하니'라는 주말 예능프로그램을 재밌게 보고 있는데 거기에 출연하고 있는 유재석 씨가 '톱100귀'라는 별명으로 불리는 부분이 나옵니다. 처음 듣는 음악이라고 할지라도 이 음악이 히트할지, 음원 순위가 어떻게 될지 예측할 수 있는 능력이 있다는 얘기인데, 실제든 아니든 간에 이런 능력을 얻기 위해서 가장 먼저 해야 할 일은 많이 듣는 거겠죠, 웹툰 프로듀서의 안목도 마찬가지입니다. 어떤 장르든 어떤 플랫폼이든 어떤 작가든 가리지 않고 많이 재밌게 보면 그것이 안목을 키우는 밑거름입니다. 새로 올라오는 신규작품도 전부 보고, 시간이 되면 신인 작가들의 베스트 도전 작품들도 가리지 않고 많이 보면 좋겠습니다. 그러다가 어느 날 문득 '오, 이거 되

게 재밌다!', '오, 이거 뜨겠는데?' 같은 느낌을 받게 될 거예요. 그렇다면 그 때부터 안목이 점점 성장하게 되는 거라고 생각합니다.

추가로 경험을 많이 했으면 좋겠습니다. 청소년으로서 할 수 있는 경험들 이 많지는 않지만, 그중에서도 몇 가지의 다양한 경험을 쌓게 된다면, 훗날 그 모든 것들이 다 재산이 될 수 있기 때문입니다. 나중에 직접 그리거나 글 을 쓰게 될 작품의 소재가 되기도 하고, 프로듀서로서 작품의 디테일을 잡아 줄 수 있는 바탕이 되기도 하니까요. 그렇기에 방학 때도 좋고, 평소에도 좋 으니 봉사활동이나 반려동물을 키우는 것, 여행 등을 가리지 않고 최대한 많 은 경험을 해보는 것을 추천합니다.

영화든 드라마든 웹툰이든 웹소설이든 간에, 장르도 주제도 다 다른 다양한 작품을 많이 보는 것, 편식하지 않고 다양한 콘텐츠를 즐겼을 때 다양한 생각들이 나올 수 있습니다. 그러니까 편하게 그냥 즐기면서 여러 가지 콘텐츠를 재밌게 보시는 것이야말로 훗날 웹툰과 관련된 직업을 가졌을 때 도움이 될 큰 자산이라고 생각합니다.

'만화 좀 그만 봐!', '너 커서 뭐가 되려고 그러니!'

여러분의 부모님이나 형, 누나, 오빠, 언니들이 들어봤던 말일 겁니다. 그때는 공부 안 하고 만화책을 본다고 등짝 스매싱을 맞는 시기였습니다. 그런데 지금은 어떤가요? 웹툰을 보면서도 꿈도 이룰 수 있고, 수익도 생기는 시대가 되었습니다. 재미있게 보다 보면 재미있는 분야에서 내가 재미있는 일을 하면서 돈을 벌 수 있다는 것, 꼭 기억해 주시면 좋겠고, 앞으로도 여러 웹툰을 재미있게 많이 보면서 '아, 이거는 좀 안타깝다', '아, 이거는 더 재미있게 할 수 있었는데' 같은 고민을 한 번쯤 해볼 수 있다면 그걸로 준비는 충분하다고 믿습니다.

훗날 기회가 되면 업계의 후배로 만날 수 있기를 바랍니다.

지금까지 웹툰 프로듀서이자 작가인 투유드림의 신도형이었습니다.

CHAPTER 03
웹툰 작가

탐이부

웹툰 작가

2001년~2003년
치요다공과예술전문학교 애니메이션과 졸업

2003년~2005년
OLM디지털 캐릭터 디자인, 애니메이터

2011년
웹툰 〈나오늘씨의 소심한 미친짓〉 서적〈쌩툰, 두살가족〉으로 데뷔

대표작품: 흡혈고딩 피만두, 찬란한 액션 유치원, 아임 펫!

E-mail: jseon57@naver.com

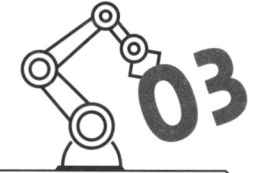

웹툰 작가

웹툰을 원작으로 한 드라마와 영화가 제작되고, 유명 웹툰 작가가 탄생하면서 웹툰 작가라는 직업에 관심을 갖는 분들이 갈수록 늘고 있습니다. 장래 웹툰 작가를 꿈꾸는 분들께, 혹은 직업으로써 궁금하신 분들께 웹툰 작가가 어떤 직업인지, 어떤 준비를 해야 하며 어떤 과정을 거쳐 될 수 있는지를 제 경험을 바탕으로 한 설명으로 궁금증이 조금이나마 해소되셨으면 좋겠습니다.

탐이부가 웹툰 작가로 데뷔하기까지 과정

저는 2003년에 일본에 있는 치요다공과예술전문학교의 애니메이션학과를 졸업했습니다. 이때는 애니메이터가 되고 싶다는 꿈을 키우고 있었던 시절이었습니다. 그림 그리는 것은 예전부터 좋아했었는데, 본격적으로 해 보고 싶다고 생각해서, 2005년부터 2006년까지 포켓몬스터 애니메이션을 만드는 회사에서 애니메이터로 근무했습니다. 그리고 나서 2009년까지는 한류 엔터테인먼트 회사에서 근무했었는데 이때 일본은 한국 드라마 때문에 한류 열풍이 불어서 드라마와 연관된 애니메이션을 제작하고 한국에서 수입해서 또 판매하는 일을 하는 회사에서 근무를 했었습니다.

돌이켜보면 그림과 관련된 일을 직장에서 하고는 있었지만, 늘 마음 한켠에는 '온전한 나만의 창작물을 만들고 싶다!'라는 생각이 자리 잡고 있었던 것 같습니다. 오랜 취미로 그렸던 웹툰을 직업으로 삼으면 얼마나 좋을까 하는 생각도 함께요. 그러나 하고 싶은 일을 하기에 서른 중반의 나이는 적지 않았고, 책임져야 할 아내와 아이가 있었기에 웹툰 작가로의 전업은 걱정만 앞설 뿐,

결정이 쉽지 않았습니다. 그러나 더 늦기 전에 하지 않으면 더 큰 후회를 할 거라는 아내의 말에 힘입어, 과감히 10년의 일본 생활을 정리하고 2010년 한국으로 돌아왔습니다. 고료를 받는 작가로 데뷔한 것은 그다음 해인 2011년 이었습니다.

웹툰 작가 데뷔

2010년 전업 웹툰 작가가 되었지만, 당장 연재처도 일감도 없어서 수입이 제로였습니다. 백수나 다름없었습니다. 출판사와 연재처에 작품 기획서와 샘플 원고를 만들어 보내고 연락을 기다리는 일이 하루의 일과였으니까요. 예전에 연이 조금 닿았던 웹툰 작가인 선배를 찾아가 조언을 듣기도 했습니다만, 소득이 생기는 일을 찾기까진 쉽지가 않았습니다.

소개를 통해 받게 된 만화 일감이 몇 개 있었고, 일본어 관련 알바도 병행했지만, 가족의 생계를 꾸리기엔 턱없이 부족한 수입이었기에 (아이 키우는 3인 가족은 숨만 쉬어도 한 달에 300만 원은 나간다지요.) 아내는 응원과 격려를 해주었지만 무작정 도전만 할 순 없었기에, 기한을 정하기로 했습니다. 앞으로 1년, 1년 동안 고료를 받는 작가가 되지 못하면 다른 직장을 알아보기로 했습니다. 그러던 중 그동안 취미로 그려왔던 일상 툰의 출판 제의가 들어왔고, SNS에 올리던 소심한 캐릭터의 만화가 정식연재 제의를 받게 되었습니다. 비록 적은 원고료였지만 고정 수입이 생겼습니다. 그야말로 정식 데뷔를 하게 된 것입니다.

주로 4컷 만화라 불리는 짧은 개그 웹툰을 많이 그렸습니다. 에피소드형 개그 웹툰은 장편 스토리 웹툰에 비해 휘발성이 짙어, 여운이 남지 않고 금

방금방 소비되는 단점이 있었지만, 그럼에도 불구하고 짧은 개그 웹툰을 고집한 것은 나름 전략이었습니다. 장편 스토리 웹툰은 기획에 취재에 작화 등등, 연재를 제안하기 위한 한 작품의 원고를 만드는 데만 수개월 이상 걸리지만, 짧은 4컷 웹툰은 아이디어만 있다면 한 달에 네 작품 샘플원고를 만들어 보낼 수도 있었으니까요. 게다가 듣보잡 신인이었던 저는 콘티나 기획서 보다는 완성된 원고를 보내는 것이 연재처에 인상을 심어 주기 위해 꼭 필요했습니다. 덕분에 연재 경력에 비해 많은 작품경력을 쌓을 수 있었고, 현재 카카오페이지에서 '흡혈고딩 피만두'라는 작품을 6년 이상 연재 중이며, '아임펫!'이라는 작품은 연재 후 책으로 출판하기도 했습니다. 지금은 예전만큼 개그 웹툰을 선호하는 연재처가 많지는 않지만, 짧은 웹툰을 동시에 다작으로 연재해서 길러진 만화 체력(?) 덕분에 최근엔 장편 스토리 웹툰도 기획할 수 있게 되었습니다.

신세개냥 (카카오페이지)

찬란한 액션유치원(다음웹툰)

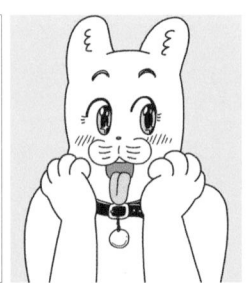

아임 펫! (예담)

흡혈고딩 피만두(카카오페이지)

웹툰의 일반적인 제작 과정

이제 웹툰의 제작 과정을 설명드리려고 합니다. 웹툰은 무작정 1화를 그리면서 시작하는 작업이 아니라 스토리와 캐릭터에 대한 사전 구상 단계를 거칩니다. 이는 음식으로 따지면 어떠한 레시피로 어떠한 재료를 가지고 어떤 메뉴를 만들까를 고민하는 단계라고 보시면 됩니다. 재료라 함은 작품에 관한 아이디어, 소재, 캐릭터 등이 될 수 있을 것이고, 레시피는 이야기의 서사, 연출, 작화라고 할 수 있습니다. 작품을 기획하고 거기에 맞는 아이디어를 수집하는 경우도 있고, 수집한 아이디어로 기획이 출발하는 경우도 있습니다. 저의 경우, 작품과 상관없이 습관처럼 아이디어를 기록합니다. 걷다가, 샤워하다가, 운전하다가, 친구들과 이야기하다가 문득 떠오른 아이디어가 있다면 메모하곤 합니다. 기록한 100개의 아이디어 중에 하나밖에 쓸 만한 게 없다고 해도 상관없습니다. 그 하나의 아이디어가 수년 동안 이어지는 웹툰을 만들게 해주기도 하니까요.

이렇게 모인 아이디어들은 정리의 과정을 거쳐 다시 기록되고, 본격적으로 이야기를 구성하는 단계에 들어가게 됩니다. 작품의 큰 뿌리와 줄기를 설정하고 나면 본격적으로 세부 줄기와 잎사귀, 꽃을 설계합니다. 어떻게 이야기를 시작하고 끝낼 건지 그리고 이 이야기가 어떠한 메시지를 던질 건지, 큰 맥락을 정해 놓아야 매주 매 회차에 이야기를 붙여나갈 수 있습니다.

캐릭터 설정

모든 웹툰에서 캐릭터란 너무나도 중요한 요소입니다. 캐릭터가 살아있는 인물처럼 잘 짜여졌다면, 스토리는 이미 반 이상 작업이 끝났다고 해도 과언이 아닙니다. 내가 잘 아는 친한 친구를 만나면 무슨 말을 할지 안 들어도 상상이 가는 것처럼, 입체적으로 만들어진 캐릭터 역시 사건에 어떻게 반응을 할지 유추할 수 있는 것과 같습니다. 그런 캐릭터를 만들기 위해서는 출생 배경부터 성장 과정, 주변의 인물의 영향 등까지 세밀하게 짜보는 것이 중요합니다.

개그 웹툰의 경우 캐릭터는 특히나 더 중요한 요소로 자리합니다. 금세 파악할 수 있는 뻔한 캐릭터는 독자들에게 더는 매력을 느낄 수 없게 하며, 다음 이야기를 보고 싶지 않게 만들기 때문입니다. 그러기 위해선 캐릭터에서 독특함과 더불어 공감이라는 요소를 가져오는 것이 좋습니다. 말하는 개가 반려견 주제에 거꾸로 주인을 고르는 설정은 특이해 보이지만, 이야기를 따라가다 보면 힘들 때 위로가 되는 남사친의 공감 요소가 담겨있고(아임 펫!) 근육질의 유치원생이 특수부대의 훈련 강도의 덧셈 뺄셈 교육을 받는 것은 특이하지만, 가족과의 사랑, 친구와의 우정, 입시교육에 대한 아이들의 고통은 누구나가 충분히 공감할 수 있는 요소인 것과 같습니다(찬란한 액션유치원).

연출 스타일

제가 만들어 온 웹툰을 보시면 작품별로 그림체가 전혀 다르다는 것을 느끼실 수 있을 것입니다. 작품의 콘셉트와 분위기에 맞는 그림체와 연출 스타일을 고르는 것이죠. 〈흡혈고딩 피만두〉는 짧은 호흡 안에서 개그와 극화체의 갭을 이용해 재미를 주고, 〈찬란한 액션 유치원〉은 진지하고 무거운 그림체의 병맛스러운 전개로 언밸런스한 재미를 추구한 것에 반해 〈신세개냥〉은 귀여운 그림체로 진지한 누아르를 이야기했습니다. 이처럼 전체적인 분위기와 콘셉트가 정해지면 큰 줄기의 스토리를 짠 뒤, 점점 작은 줄기로 쪼개어 매주 어떤 이야기로 연재할지 구상합니다.

회차별 스토리를 짜는 작업은 여행코스를 정하는 것과 비슷합니다. 최종 목적지는 이야기의 엔딩이 될 것이고, 천천히 걷는 배낭여행을 할 것인지 자동차 여행을 할 것인지 정하는 것이 목적지까지의 스토리 구성이 되는 겁니다. 회차별 스토리는 경유지 혹은 중간 목적지가 될 터인데, 때로는 주인공을 위기에 빠뜨리는 늪에 머물게도 했다가 위기를 극복하고 악역에게 시원하게 사이다를 먹이는 산봉우리에 오르게도 합니다.

아이패드로 메모하는 습관의 흔적

웹툰을 만드는 과정

주간 연재 중에 각 공정에 걸리는 시간은 일주일을 기준으로 70~80컷 기준으로 잡는다면, 아래와 같이 소요됩니다.

-스토리 작업 (1~2일)

-콘티 작업 (0.5일~1일)

-데생 및 펜선 (1일)

-배경, 채색 (2일)

-말풍선 및 마무리 작업 (0.5일)

 하루 평균 8시간, 5일 정도를 작업하고 있습니다. 주말은 개인 휴식이나 가족과 지내는 시간으로 활용하고 있습니다. 지금은 배경과 채색 작업을 도와주시는 어시스턴트 분이 계셔서 덕분에 다음 회차의 준비작업 그리고 신작 준비나 연재 외에 홍보 웹툰 등, 외주받은 일을 하고 있습니다.

평소 작업실에서 작업하는 모습

 그림을 그리는 작화 공정에는 클립스튜디오와 포토샵이라는 프로그램을 활용하고 신티크라는 액정 태블릿을 이용하고 있었습니다만, 최근엔 아이패드의 성능이 발달해서 스토리부터 펜선 작업까지 아이패드 하나로 가능하게 되었습니다. 휴대성까지 좋아서 아이패드를 펼쳐 놓으면 어디든 제 작업실이 되는 것이죠. 자, 이제 단계별로 어떤 작업을 하는지 설명하겠습니다. 저는 스토리를 짜는 작업에 에버노트라는 앱을 이용하고 있습니다. 글로 대략적인 이야기를 어떻게 만들 것인지, 어떤 소재를 가지고 어떤 상황을 만들 건지를 머릿속에 떠오르는 대로 타이핑을 합니다. 그리고 인물들이 대사 형식으로 주고받고 어떻게 움직여야 하는지를 글 콘티 형식으로 다시 짭니다. 이미지 한 컷에 나오는 그 화면의 이미지를 떠올리면서 글로 정리하는 겁니다. 그리고 주인공이 어떤 대사를 말할 것인가를 떠올리면서 기록합니다. 그리고 글로 기록하기가 조금 어려운 아이디어 같은 경우 즉석에서 그림으로 그려서 정리합니다. 그래서 저는 스토리나 아이디어를 평소에 메모하는 습관이 있습니다. 요즘에는 작업할 때에도 아이패드를 이용하고 있는데 꽹장히 유용한 것 같습니다.

콘티

    콘티 작업은 낙서하는 분위기로 대략의 캐릭터가 어디에 자리 잡고 어떤 구도를 가져가야 하는지를 러프하게 그리는 단계라고 보시면 됩니다. 그래서 대사 같은 경우는 이제 어느 정도 정제돼서 완성형에 가까운 대사를 얹어야 조금 더 정확한 콘티를 그릴 수 있기 때문에 대사의 경우 콘티 작업에서 80% 이상 완성된다고 보시면 됩니다. 그리고 음악에서도 강 약 중강약이 있는 것처럼 강하게 막 비트가 들어갔다가, 잔잔한 멜로디를 의도적으로 흘리는데 이런 흐름을 콘티에서 볼 수 있게 됩니다. 콘티 단계에서 컷을 잔잔하게 가져가야 할지, 세게 가져가야 할지 흐름을 보기 위해서 컷의 크기를 정하는 것도 결정됩니다. 다음 두 페이지는 '찬란한 액션유치원'의 콘티와 작화 결과물을 비교하면서 보실 수 있도록 했습니다.

〈찬란한 액션유치원〉 콘티와 완성원고

〈찬란한 액션유치원〉 콘티와 완성원고

펜선 작업과 마무리 단계

어느 정도 갖춰진 데생이 끝나고 나면 그림을 정확한 선으로 표현할 수 있는 펜선 작업에 들어가게 됩니다. 형태가 다 잡혔고 그 형태에 따라서 선을 긋는 작업이기 때문에 저한테는 조금 지루한 시간이긴 합니다. 간혹 펜선의 강약을 즐기시는 분들도 계시더라고요. 사람마다 다 차이가 있는데, 저는 아이디어를 떠올리며 뭔가 재미있는 기획을 하는 데 더욱더 재미를 느끼는 것 같습니다.

그래서 펜선과 같은 작업이 저한테는 조금 지루한 작업이 아닌가 하는 생각을 해봅니다. 근데 아주 가끔이기는 하지만 저도 뭔가 신내림 받듯이 펜선 작업에 재미를 느낄 때가 있습니다. 이 작업을 많이 하다 보니 신이 날 때도 있는데 제가 지루해하는 작업이 바로 펜선 작업이라고 보시면 될 것 같습니다. 물론 컷의 분위기에 맞게 좀 진지한 분위기인데 귀여운 선을 쓸 순 없고 또 귀염 귀염한 컷인데 진지한 선을 쓸 수 없습니다. 그래서 여러 가지에 유의하면서 작업을 하고 있습니다.

완성된 팬선 원고에 채색을 하고 효과를 넣고 대사를 마무리한 후 말풍선을 만들어서 채우고 효과음을 놓는 작업을 하며 마무리합니다. 완성된 원고는 서버에 업로드되어 여러분이 볼 수 있게 됩니다. 이 하나의 제작 과정들을 매주 하고 있다고 보시면 되고요. 저 같은 경우에는 지금 한 작품이 끝났지만 두 작품을 동시에 진행하고 있습니다. 작품이 늘면서 될 수 있는 한 단순 작업은 어시스턴트 분들께 맡기고 저는 아이디어나 스토리를 짜는 작업에 집중하려고 합니다. '그래야 조금 더 많은 작업을 해 볼 수 있지 않을까'라는 생각을 하고 있습니다.

웹툰 작가로 데뷔하는 과정

웹툰 작가가 되는 유형에는 크게 세 가지가 있다고 보시면 될 것 같습니다.

첫째, 공모전을 통해서 데뷔하는 것입니다. 잘 아시는 것과 같이 네이버 웹툰, 다음 웹툰, 카카오페이지, 레진코믹스 등 플랫폼에서 적어도 1년에 한 번씩은 공모전을 하고 있습니다. 그래서 그런 공모전에서 수상하신 분들에게 유료 연재의 기회가 주어지는 경우가 있기 때문에 공모전을 통해서 데뷔하시는 분이 가장 많은 것 같습니다.

둘째, 플랫폼 혹은 웹툰 기획사에 투고해서 데뷔하는 것입니다. 네이버, 다음, 카카오 페이지, 레진코믹스 등과 같은 연재 사이트를 설명드리는 것입니다. 웹툰 기획사라고 하면 조금 생소하실 수도 있는데 웹툰 에이전시라고도 합니다. 웹툰 에이전시에서는 웹툰을 기획하고 제작하고 작가님들을 섭외하는 일들을 하고 있습니다. 웹툰 기획사가 도대체 어디 있는지 알아야 원고를 투고할 수 있지 않냐고 질문하실 수 있는데요, 여러분들이 조금만 관심을 기울이면 보고 계신 웹툰의 표지 또는 하단에 회사 로고가 적혀 있습니다. 회사 이름으로 검색하시면 유명한 웹툰 기획사의 홈페이지나 페이스북에서 원고 투고란을 볼 수 있을 거예요. 에이전시마다 다르겠지만 투고하는 방법이 적혀 있을 것입니다. 관심 있는 분들은 그렇게 투고하시면 좋을 것 같습니다. 인스타그램, 블로그, 페이스북, 다음 웹툰에는 아마추어 작가님들을 위한 도전 만화 사이트가 있습니다.

셋째, 도전 만화 사이트에 만화를 자율적으로 올려서 데뷔하는 경우도 있는데, 이는 드문 경우입니다. 요새는 무료 연재를 하시는 분도 많고 제작사들은 다들 바빠서 여기를 들여다보고 옥석을 가려내기가 좀 힘들 수도 있습니다. 이런 이유로 이렇게 데뷔를 하겠다고 준비하시는 것은 아닌 것 같습니다. 그저 스스로 연재를 할 수 있는 준비 단계 정도, 연재를 주기적으로 할 수 있는 습관을 들이는 정도로 활용하시면 좋을 것 같습니다. 저는 두 가지 경우를 통해 데뷔하게 되었는데요. 하나는 2011년 SNS에서 연재하던 것들이 담당자 눈에 띄게 된 경우입니다. 그리고 또 하나는 작품이 공모전에서 수상함으로써 연재하게 된 경우입니다. 운 좋게도 동시에 양쪽으로 데뷔한 케이스입니다.

웹툰 작가가 적성에 맞는 유형

제가 '웹툰 작가에 도전해 볼 만하다', '적성이 맞다'라고 생각하는 유형들은 다음과 같습니다.

1) 늘 새로운 것을 추구하는 창의력 대장이라면 웹툰 작가 적성에 맞는 유형입니다. 매주 새로운 것을 보여줘야 하고 작품마다 새로움을 추구하는 것들이 좀 필요하다고 생각합니다. 똑같은 것은 지겹고 싫어 남들과 다르게 새로운 걸 만들고 싶어 하는 분들이라면 웹툰 작가가 되었을 때 굉장히 뛰어난 능력을 발휘할 수 있을 거라고 봅니다.

2) 입담이 무척 좋아서 친구들에게 인정받는 이야기꾼들이 계십니다. 똑같은 이야기인데 무척 재미있고, 뭔가 그 현장에 가 있는 것 같은 느낌이 들게 해주는 분들이 있습니다. 저 사람이 음식 이야기를 하면 뭐가 먹고 싶어지고, 영화를 보고 이야기를 해줬는데 나도 지금 가서 그 영화를 꼭 보고 싶다는 생각이 들게 하는 그런 타고난 이야기꾼들이 있습니다. 그런 분들은 전문적인 용어로 웹툰 스토리텔러라고 하는데, 그런 것에 굉장히 특화된 분들이니 웹툰 작가에 꼭 도전해 보셨으면 좋겠다는 생각이 듭니다.

3) 관찰력이 뛰어나신 분들은 꼭 웹툰 작가에 도전해 보시길 바랍니다. 저

는 관찰력이 공감을 얻어내고 재미를 추구하는 능력 중의 하나라고 생각합니다. 똑같은 것을 봐도 남들보다 하나를 더 볼 수 있는 분들, 무척 미묘하고 디테일한 부분까지 관찰을 잘하시는 분들은 웹툰 작가가 아니더라도 웹툰 업계에 종사할 수도 있는 잠재성을 가진 분들이라고 생각합니다. 저도 이런 성향들이 있었기 때문에 웹툰 작가가 될 수 있었습니다.

웹툰 작가의 수입

웹툰 작가의 수입을 많이 궁금해하는 분들이 계시는데, 사실 웹툰 작가가 주목받기 시작하고 있고 많은 조명을 받다 보니까 도대체 얼마를 버는지, 먹고 살 수 있는지를 궁금해하십니다. 유명하신 분 몇몇은 정말 수입이 많습니다. 아직도 인식이 만화 웹툰 하면 배가 조금 고픈 직업이라는 인식이 좀 강해서 그런지 걱정을 하시는 분이 계십니다. 공표되어 있는 부분만 가지고 설명해 드리자면 신인 작가의 평균 한 달 원고료는 200~250만 원입니다. 편당 극화가 70~80컷을 일주일에 한 편씩 연재한다고 봤을 때, 한 달이면 4주 그러니까 네 편을 연재하게 되면 회당 원고료가 50만~60만 원이기 때문에 한 달에 200만~250만 원이라고 보시면 될 것 같습니다.

저는 웹툰 작가의 원고료가 많다고 생각하지는 않지만, 웹툰 시장의 규모가 커지고, 작가의 인지도가 높아지고 경력이 쌓이면 일정 수준 이상의 수입을 올릴 일이 될 수 있습니다. 인기 작가님들 중에는 한 달에 억대를 버시는 분들도 계십니다. 인지도와 인기 그리고 경력에 따라 편차가 크다고 보시면 됩니다. 아직도 웹툰 작가의 수입에 대해서 부풀려진 부분이 있고, 생계형으로 힘들게 작업하시는 작가님들도 분명히 계시기 때문에 수입에 대해 이야기하는 건 조심스러운 부분입니다만, 웹툰을 시작한 지 10년 차가 된 저의 경우엔 데뷔하고 얼마 안 되어서는 직장인의 초봉도 안 되었지만 지금은 부장급 월급 정도는 벌고 있습니다.

웹툰 작가의 전망

마지막으로 웹툰 작가에 대한 전망을 설명하겠습니다. 현재 웹툰 시장은 전 세계적으로 확대되고 있습니다. 한국뿐만 아니라 중국, 일본, 미국, 인도네시아와 같은 곳에서 한국의 웹툰이 정말 주목받고 있습니다. 그러다 보니 더 많은 작품과 더 많은 작가가 필요하게 되는 것입니다. 웹툰 사이트 잠깐만 보셔도 알겠지만, 사이트당 작품 수가 점점 늘어나고 있는 추세이고요. 이에 따라 더 빨리 완성되는 작품, 더 많은 작품, 더 좋은 작품이 필요한 겁니다. 예전에는 글 작업이나 그림 작업을 혼자서 하는 것이 일반적이었습니다만 현재는 작업 형태가 바뀌고 있습니다. 저 역시도 지금 혼자서 작업하고 있습니다만, 스토리 작화, 콘티, 기획 등 각 분야로 분업화되고 있습니다.

시장이 확대된다는 것은 당연히 웹툰 작가의 전망이 굉장히 밝다는 것을 의미합니다. 영화로 비교하자면 규모가 큰 블록버스터 영화가 있고 그리고 혼자서 작은 규모로 찍은 독립영화가 있다면, 지금은 블록버스터 영화가 많이 늘어나는 추세입니다. 이처럼 혼자서 소화해낼 수 없는 대형 작품이 많이 늘다 보니 스튜디오 작업이라는 형태로 분업화하는 것이 일반적인 일이 되었습니다. 이에 따라 혼자 작업하고 있는 작가님들의 작업 소재가 제한되고 있는 것도 사실입니다.

혼자서 하는 독립영화를 블록버스터 영화처럼 찍을 수 없으니, 혼자 작업하는 작가의 경우 좀 더 개인적인 이야기나 조금 더 작은 것에 집중하는 이야기를 다루는 작품들로 제한되는 현상이 발생하고 있습니다. 저는 이런 현상에 대해 고민도 하면서 개선 방안도 검토하고 있습니다. 예전에는 글, 그림 정도로 나누어서 작업하는 경우는 있었지만, 지금은 스토리 하나만 해도 협업해서 여러 명이 하나의 스토리를 짜는 형태로 변화하고 있습니다.

작화도 분야나 맡은 역할을 쪼개서 작화 하나를 만들어내는 시스템을 갖고 있습니다. 그래도 혼자서 할 수밖에 없는 작품들도 분명히 존재하기 때문에 웹툰 작가로서 이 부분에 대해 고민을 해야 하는 상황입니다.

아직까지 웹툰 시장은 성장기에 놓여 있으며 완성형은 아니라고 봅니다. 불안정한 부분이 많지만, 그만큼 시장이 더 확대될 수 있는 잠재성도 동시에 있다고 생각합니다. 이러한 과도기에 대한 여러 가지 고민은 분명히 있습니다. 작가의 처우개선이 필요한 노동환경에 관한 문제부터 불법 복제 사이트 등과 같은 시장이 풀어야 할 과제도 많습니다. 하지만 종합적으로 봤을 때, 웹툰 작가는 유망한 직업임에는 틀림없습니다.

지금까지 웹툰 작가와 웹툰의 제작 과정에 대해서 설명해 드렸습니다. 꼭 직업으로 삼지 않더라도 자신의 이야기를 웹툰으로 창작해보는 것은 나를 알기 위해 굉장히 좋은 일이라고 생각합니다. 많은 사람들이 노래를 즐기게 되면 그 속에서 많은 가수들이 탄생하는 것처럼 웹툰이 혹은 만화가 많은 이들의 취미 생활이 된다면 지금보다 더 많은, 더 좋은 작가가 탄생할 거라고 믿으며 글을 마칩니다.

CHAPTER 04
게임 개발자

한재혁

엔씨소프트 Project A2 PM

1989년~1996년 연세대학교 전산학과 학사
2017년~2019년 성균관 대학교 창업대학원 창업학석사
2002년~2010년 엔씨소프트 리니지2
2012년~2015년 엔씨소프트 블레이드 앤 소울
2016년~2021년 엔씨소프트 Project A2 PM

주요 관심 분야: 게임 개발, 프로젝트 매니지먼트, SW 교육

E-mail: jaehyuk70321@hotmail.com

게임 개발 과정

　많은 학생이 나만의 게임을 상상하면서 게임 개발자를 꿈꾸고 있을 것입니다. 특히 게임을 좋아하고 많은 시간 게임을 즐기는 학생들이라면 더더욱 게임 개발에 관심이 있을 것입니다. 저는 엔씨소프트에서 리니지2와 블레이드 앤 소울 개발에 참여했고 현재는 신규 게임 개발에 참여하고 있습니다. 게임 개발 시작부터 그 게임이 어떻게 완성까지 도달하게 되는지에 대한 과정 그리고 게임을 만드는데 어떤 사람이 필요한지, 게임 분야로의 진로에 대해 여러분에게 안내하려고 합니다. 대부분 사람은 게임을 만드는 유명 개발사는 알지만 한 편의 게임이 만들어져 여러분의 손에 도달하기까지 얼마나 많은 회사가 노력하고 있는지는 알지 못할 것입니다.

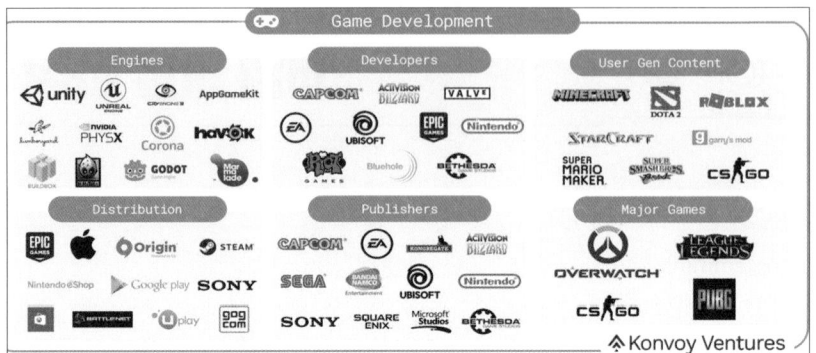

게임 제작부터 출시까지 필요한 회사들

한 편의 게임이 만들어지고 또 여러분들이 즐기게 되기까지는 여러 역할의 회사들이 나뉘어 각각의 임무를 수행합니다. 하지만 여기서는 좀 간단한 구조로 설명을 해보겠습니다. 가장 먼저 게임 개발 툴 회사에 대해 알아보겠습니다.

프로그래밍 툴

프로그래밍 툴

위의 사진에 보이는 것처럼 컴퓨터나 스마트폰에서 기계가 알아들을 수 있는 컴퓨터 언어, 즉 코딩(Coding)을 할 수 있게 제공하는 프로그래밍 언어 (Programming Language)를 만드는 회사가 있습니다. 나라마다 사용하는 말이 다른 것처럼 컴퓨터 언어도 웹브라우저(Web browser)에서 실행하는지, 아니면 윈도우나 맥 같은 PC에서 동작하는지, 혹은 스마트폰에서 동작하는지에 따라 여러 가지 프로그래밍 언어로 나누어져 있습니다. 이렇게 게임을 만들기 위해서는 만들 게임에 적합한 프로그래밍 언어를 하고, 이런 프로그래밍 언어를 전문적으로 만드는 회사들이 있습니다.

아트 툴 Art Tools

그다음은 아트 툴이 있습니다. 아트 툴은 크게는 2D와 3D 툴로 나눠집니다. 2D 게임 제작에 사용하는 2D 툴은 평면에 그림을 그려서 표현하는 게임에 사용되고, 게임의 배경이나 캐릭터를 3차원으로 만들어 3차 공간으로 표현되는 게임에 사용되는 3D 아트 툴이 있습니다.

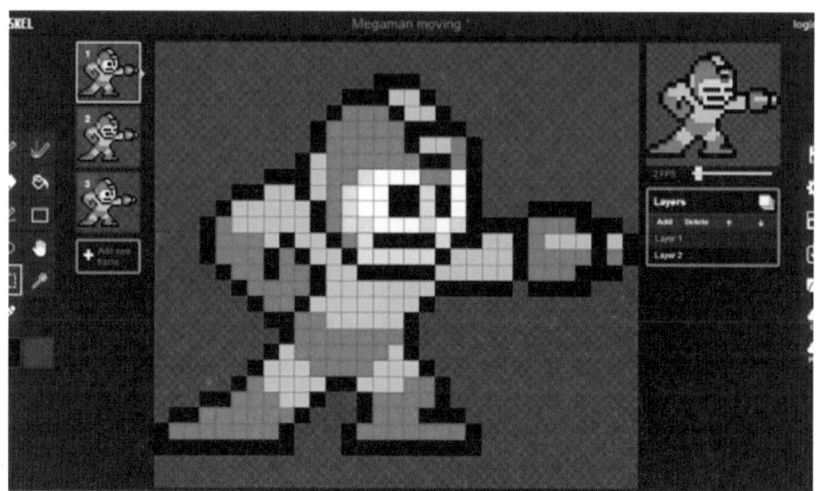

2D 아트 툴

3D 아트 툴 언리얼 엔진(Unreal Engine)

물론 2D나 3D 아트 툴 외에도 아트 제작에 필요한 더 전문화된 툴을 개발하는 수많은 아트 개발 툴 회사들이 존재합니다. 그리고 이런 툴들은 근래에는 더 많은 개발 기능을 탑재한 게임 엔진으로 발전되면서 이를 사용해서 많은 게임 개발이 진행되고 있습니다.

기획서 문서작업 툴

다음으로 게임 기획서를 만드는 데 사용하는 문서작업 툴을 만드는 회사가 있습니다. 게임을 만들기 위해서는 어떤 게임을 만들지 내용이 있는 기획서를 만들어야 해야겠죠? 사실 여러분도 과제를 하는 데 사용해봤을 것입니다. 게임 제작을 위해서는 이런 문서작업 툴을 만들어 제공하는 회사도 필요합니다.

기획문서 작업 툴

게임 개발 운영 툴

마지막으로 소개할 툴은 개발 운영 툴이에요. 최신 게임 개발에는 점점 더 많은 수의 개발자가 필요해요. 이렇게 수백 명이나 되는 사람이 같이 게임을 개발하기 위해서는 서로가 하는 일을 공유하고, 전체 스케줄을 확인해주는 툴이 필요해요. 그래서 이 분야도 전문 분야 중 하나이고, 개발자 프로젝트를 관리해주는 회사도 있습니다.

프로젝트 관리 툴(Project Management tool)

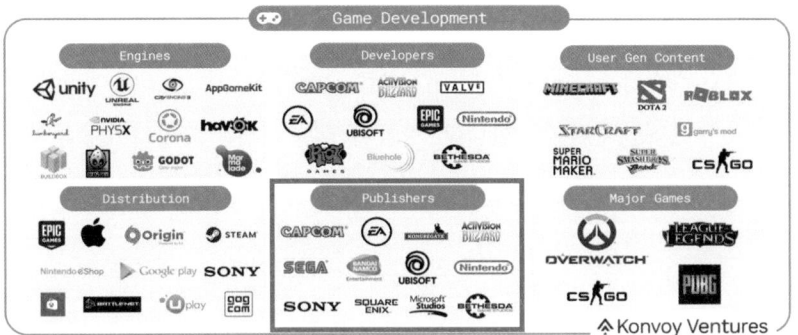

게임 퍼블리셔(Publisher)

다음으로는 퍼블리셔 회사를 소개하겠습니다. 게임을 많이 하는 친구들은 익숙한 회사들입니다. 빨간색 네모 칸 회사 로고 중 아는 회사가 몇 개나 있나요?

이 회사들은 직접 게임을 만들기도 하지만 다른 회사들과 같이 흥행에 성공할 가능성이 보이는 게임을 함께 만들어서 세계시장에 출시하기도 합니다. 예를 들어 A라는 게임개발회사가 아주 재미있는 게임 개발 아이디어가 있어서 이 게임 만들면 대성공할 것 같다고 생각합니다. 그리고 A는 아이디어를 만들 수 있는 기술도 가지고 있습니다. 그런데 그 게임을 실제 만드는 동안에는 직원들한테 월급도 주고 개발 툴도 더 구매해야 하며 사무실 운영 비용도 있어야 합니다. 그런데 전체적으로 보면 현재 회사가 보유한 자금으로는 개발비가 모자라고 인력도 더 써야 하는 상황입니다.

반대로 돈이 많아서 개발비를 지원할 수 있는 퍼블리셔 회사가 있습니다. 좋은 게임 아이디어를 가진 게임 개발자는 그 아이디어를 자금을 보유한 회사에 가서 프레젠테이션을 합니다. 자금이 있는 회사는 아이디어에 투자하게 되고, 이렇게 두 회사가 손을 잡으면 서로 윈-윈을 하게 됩니다.

퍼블리셔와 게임 개발사

게임개발회사는 개발비를 지원받아 게임을 만들 수 있고, 퍼블리셔는 자신의 이름으로 다른 여러 가지의 게임을 계속 출시해 회사 이름을 알릴 수 있으니 서로 좋은 것입니다. 간혹 이렇게 아이디어를 제공한 회사를 대형 퍼블리셔 회사가 거액을 주고 인수·합병하는 경우도 있습니다. 이 경우 소기업에서 일하던 게임사의 직원과 대표는 대형 퍼블리셔로 들어가 게임 개발을 하게 됩니다. 이렇게 가능성이 보이는 좋은 게임개발회사들을 찾아서 개발비를 지원하고, 게임 출시를 돕는 퍼블리셔는 좋은 게임 아이디어가 있어도 만들 자금이 없는 회사들에 꼭 필요한 역할을 담당하고 있습니다.

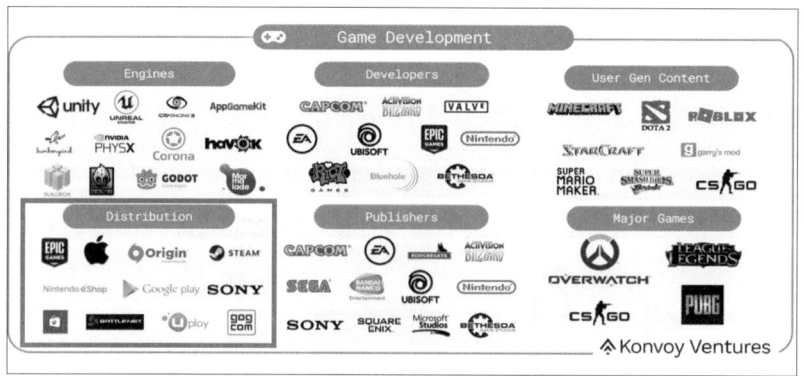

게임 배급사(Distribution)

게임 배급사가 하는 일

이번에는 배급사에 대해 알아보겠습니다. 보통 배급사를 플랫폼 업체라고 부릅니다. 예를 들어 게임 업자가 게임을 완성했다면 그다음으로 해야 할 일은 게임을 판매하는 것입니다. 게임을 팔아야지 투자한 개발비를 회수하고 다음 게임 제작비를 마련할 수 있습니다. 그런데 많은 게임개발회사는 게임을 만들 아이디어와 기술력은 있는데 어디서, 어떻게 팔아야 하는지는 잘 모르는 경우가 많습니다.

　많은 사람에게 많이 팔려면 이 게임이 얼마나 재미있는지 설명해야 하고, 언제 나오는지 기대감을 조성해야 하며 또 홍보해야 합니다.

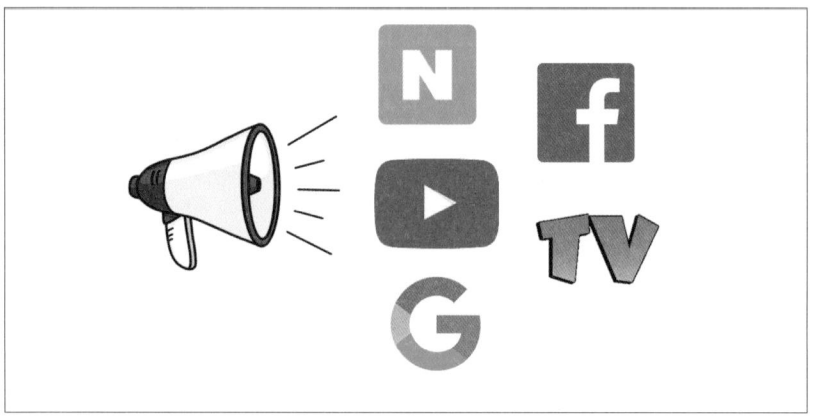

게임 홍보 매체

　이런 홍보 마케팅은 퍼블리셔와 배급사 둘 다 어느 정도 관여를 합니다. 그리고 필요한 경우 전문 마케팅 회사가 참여합니다. 여러분의 손까지 게임이 도달하기까지 마케팅도 일부분 역할을 담당하는 것입니다. 아무리 재미있는 게임을 만들더라도 사람들에게 알려지지 않으면 판매가 이루어지지 않습니다.

예전에는 게임 개발이 완료되면 실행시킬 수 있는 게임을 한 장의 골드 디스크에 담아 찍어냈습니다.

게임 골드 디스크(Gold Disc)

게임 패키지(Game Package)

게임 오프라인(Offline) 매장

골드 디스크를 CD 공장에 보내서 대량으로 찍어내 게임 패키지(Package)
에 포장해 판매했습니다.

게임 CD가 게임 패키지에 담겨서 오프라인(Offline) 매장에 도착하고 전
시하면, 사람들이 직접 매장에 와서 사가는 방식이었죠. 당시에는 소비자 손
에 도달하기까지 공정이 훨씬 많았습니다. 그런 오프라인 매장 중에서도 굉
장히 인기가 많은 매장이 있었습니다. 최신 게임이 빠르게 들어오고 가격도
싸게 판매하고, 다른 게임 숍에는 없는 게임들도 많아서 사람이 항상 바글바
글했습니다.

게다가 일본에서 먼저 출시되는 해외 게임의 경우에는 매장 직원이 오전에 비행기를 타고 일본에 가서 여러 개를 구매해서 저녁에 입국하여 판매하기도 했습니다. 국내에 출시하기 전에 먼저 게임을 즐기겠다는 의지였죠. 그래서 진짜 게임 마니아들은 누구보다 빨리 새로운 게임을 하려고 일본어를 배우기도 했습니다. 한국어로 번역되어 출시되는 게 늦었던 이유는 한국 인구가 상대적으로 적어서 소비량이 적기 때문입니다. 지금도 인구는 적지만 게임을 즐기는 사람들의 비율은 매우 높습니다.

이제는 소비자가 숍을 직접 찾아가지 않아도 온라인을 통해 유명한 플랫폼 회사들의 게임을 내려받기만 하면 게임을 즐길 수 있습니다. 게임 속에서 언어도 원하는 대로 선택할 수 있습니다. 예전에 오프라인 매장보다 수천 배, 수만 배 큰 온라인 플랫폼(Platform) 회사들이 생겨났고, 개인도 게임을 만들어 로블록스(Roblox) 같은 메타버스에 업로드합니다. 이제 수많은 게임이 여러분의 손에 도착하는 데는 시간이 얼마 걸리지 않습니다.

지금까지 설명한 내용을 정리하면 게임을 만들기 위한 개발 툴을 만드는 회사가 있습니다. 게임개발회사에 개발비를 투자하고 자신의 이름으로 게임을 출시하는 퍼블리셔가 있습니다. 그리고 여러분들이 게임을 구매하고 다운로드 받을 수 있게 하는 배급사가 있습니다. 여기까지가 게임을 만들고 소비자에게 전달되는 게임 생태계라고 이야기할 수 있습니다.

그런데 이렇게 개발된 게임이 여러분의 손에 들어가면 끝일까요? 아닙니다. 게임 관련 회사들은 한 가지 할 일이 더 남아 있습니다. 바로 수익 배분입니다.

수익 배분

혹시 여러분이 게임에서 무언가를 구매하면 게임을 만든 개발사가 수익을 다 가져간다고 생각하나요? 그렇지 않습니다. 게임 생태계에서 각자 역할에 참여한 모든 회사가 수익을 나누게 됩니다. 게임 개발사는 게임을 만드는 역할을 했으니 그 수익을 가져가는 것이고, 퍼블리셔는 게임 개발에 투자했기 때문에 그에 대한 수익을 가져갑니다. 배급사는 게임을 팔아줬으니 그 수익을 나누어 가집니다. 그 외에도 게임 마케팅에 참여한 회사나 여러 명이 게임에 접속할 수 있게 통신망을 제공한 통신 회사들도 자신의 역할만큼 수익을 가져갑니다. 수익 배분 비율은 게임에 따라 다르고, 최초 계약서에 근거해 나눠 가지게 됩니다.

게임회사의 조직 구성

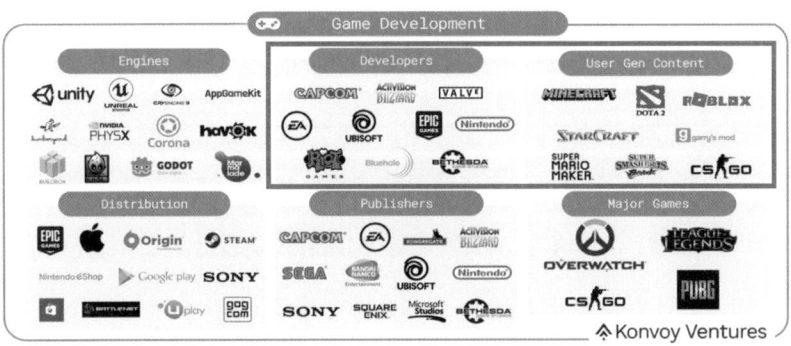

게임 개발자(Game Developer)와 UCC(User Generation Content)

이번에는 게임개발회사, 그중에서도 게임을 만드는 회사의 조직은 어떻게 구성되어 있고, 그 안에는 어떤 역할들이 있는지 알아보도록 하겠습니다. 먼저 유저 제너레이티드 콘텐츠(User Generated Content)는 게임 사용자가 직접 만드는 콘텐츠입니다.

스타크래프트 UGC 에디터

　　이런 콘텐츠는 보통 게임개발회사가 제공한 게임 에디터라는 걸 통해 게임 사용자가 직접 만듭니다. 이렇게 유저들에게 새로운 콘텐츠를 만들 수 있는 에디터를 제공하는 것은 큰 장점입니다. 게임 사용자가 게임을 하는 과정에서 아쉬웠던 부분을 직접 만들 수 있으니까 좋고, 게임에 더 몰입할 수 있습니다. 게임개발회사 입장에서는 콘텐츠를 만들려고 하면 기획부터 개발비용과 시간이 많이 드는데 사용자들이 직접 만들어 전파해주니 서로 윈-윈을 할 수 있는 구조입니다.

　　게임개발회사들이 사용자가 자유롭게 게임을 만들 수 있는 게임 에디터를 만드는 것도 사실 비용과 노력이 많이 드는 일입니다. 하지만 요즘은 게임 기획 초기부터 사용자에게 UGC 에디터를 제공할지, 제공하면 어디까지 제공할지를 계획해 게임 에디터를 설계하고 반영해서 개발합니다. 이렇게 게임이 완성되면 게임출시에 UGC 툴을 같이 제공해 더 큰 호응을 이끌어 냅니다. 출시 이후로도 개발이 끝이 아닙니다.

더 많은 사람이 게임을 이용하도록 UGC 에디터 유지보수, 신규 게임 콘텐츠 업데이트, 기존 콘텐츠 리뉴얼 등을 지속해서 진행합니다. 간혹 UGC 에디터를 통해서 사용자가 만든 콘텐츠가 너무 잘 돼서 아예 새로운 게임으로 개발되는 일도 있습니다. 게임을 즐기는 소비자에서 게임을 만드는 생산자, 즉 프로슈머가 되는 것입니다. 이러한 성공사례들을 볼 때 게임 개발 툴을 유저들한테 제공하는 것은 충분히 가치 있는 일이고, 이제는 게임 개발 툴이 게임 개발의 한 부분을 담당하고 있다고 할 수 있습니다.

게임 개발자(Game developer)

개발조직

이제부터는 게임 개발사의 개발조직에 관해 이야기해보겠습니다. 초창기 게임 개발을 했을 때는 한두 명이 만들었습니다. 그러다가 점점 게임을 하는 사람들이 늘어나고 회사가 돈을 벌게 되자 게임을 개발하는 직원 수도 늘었습니다. 그러면서 영화 같은 스토리와 화려한 그래픽의 대작 게임이 만들어지기 시작했습니다. 이제는 게임 하나를 만드는데 기획 단계부터 수백 명이 작업하는 구조로 바뀌었습니다. 또 수백 명이 함께 게임을 개발하려면 효율적으로 관리·운영하기 위한 운영 방법도 필요하게 되었습니다. 게임 개발에 각자의 역할이 세세하게 나뉘기 시작했습니다.

지금부터는 게임을 개발하는 구성원, 프로젝트 매니저, 프로듀서, 게임 기획자, 그래픽아티스트, 프로그래머 등의 역할에 대해 알아보도록 하겠습니다.

게임 개발의 역할(캐릭터 출처: Nintendo Super Mario)

게임 프로듀서의 역할

게임개발회사에서 가장 중요한 사람으로 프로듀서가 있습니다. 프로듀서는 많은 일을 하지만 그중에서 가장 중요한 일은 개발비를 투자하는 퍼블리셔 회사의 사장님과 소통하는 것입니다. 먼저 우리가 만들기로 한 이 게임은 크게 성공할 수 있다는 확신을 하고 프로젝트를 시작해야 합니다. 프로듀서는 이러한 확신을 투자하기로 한 회사 대표에게 전달하여 설득하는 일을 제일 먼저 해야 합니다. 게임을 만들 인원수와 개발 기간 그리고 게임을 개발할 수 있는 최소 혹은 최대 개발비에 대해 보고하고 게임 개발을 허락받아야 합니다.

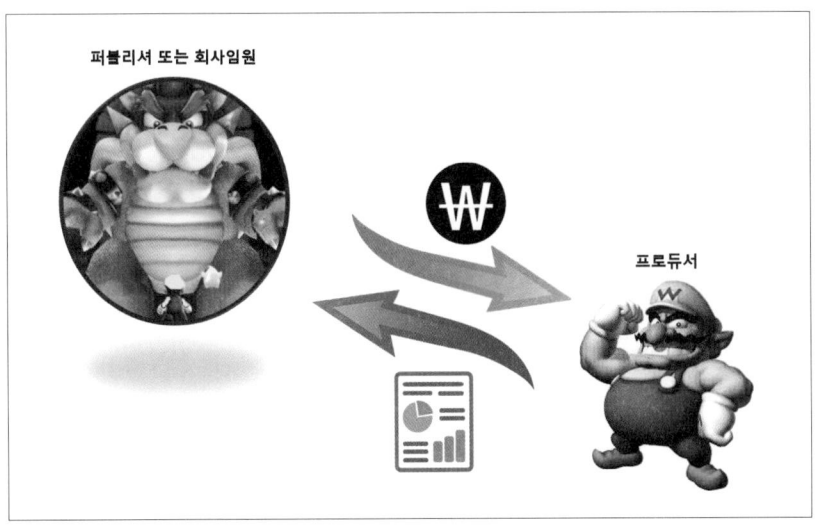

게임 프로듀서(캐릭터 출처: Nintendo Super Mario)

퍼블리셔는 게임이 잘 만들어지는지 확인하고 싶어 합니다. 그래서 게임 개발이 시작되면 개발 중간보고도 프로듀서의 몫입니다. 중간보고 때는 단순히 말로만 하면 설득력이 떨어지겠죠. 게임 개발이 여기까지 진행되었음을 보고 만족할 수 있게 시연해야 합니다. 개발 후반기로 갈수록 직접 플레이 가능한 수준까지 개발 보고가 필요합니다.

하지만 모든 프로젝트가 그렇듯이 처음 계획한 대로 결과물이 나오는 경우는 드뭅니다. 콘텐츠 추가로 개발 일정이 연기된 상황을 이해할 수 있도록 설명해야 하고, 추가된 개발비를 승인받아야 하고, 최근에 출시된 경쟁사 게임에 대한 비교와 차별점에 대해서도 보고해야 합니다. 이때 중간보고나 분석 결과가 신통치 않으면 대표님이나 퍼블리셔 회사에서 개발을 계속 지원할 수 없다는 거부 의사를 표명할 수도 있습니다.

만약 회사 측에서 투자가 중단되면 게임 개발이 취소될 수 있습니다. 따라서 프로젝트의 대장 격인 프로듀서의 역할이 엄청나게 중요합니다. 만일 게임 회사에 취직해도 이런 프로듀서의 역할을 하기까지 많은 경험이 필요합니다. 처음부터 프로듀서를 맡기지 않으므로 전혀 걱정할 필요는 없습니다.

프로듀서 일을 담당하는 사람 중에서 사진에 보이는 사람이 제가 좋아하는 '메탈기어' 시리즈를 만든 코지마 히데오라는 유명한 게임 개발자입니다. 게임회사에 입사하여 보조 프로듀서부터 일을 시작해 수많은 게임 제작에 참여했습니다. 지금은 자신의 회사를 이끌고 있습니다. 수많은 게임 개발에 참여하면서 산전수전 다 겪은 뒤에나 할 수 있는 역할이 프로듀서이므로 이 일을 해보고 싶다면 우선 게임회사에 입사해 많은 포지션에서 경험을 쌓는 것이 중요합니다.

프로듀서 코지마 히데오(Hideo Kojima)

게임 기획자의 역할

다음은 게임 기획자의 역할에 관해서 알아보겠습니다. 게임 기획자의 역할은 만들고자 하는 게임이 무엇인지 다른 구성원들에게 이해시키고 게임의 재미를 발굴하여 유저들을 설득하는 일입니다.

'게임에 대해 설득한다'라는 말이 어려울 수 있는데, 게임은 혼자 만드는 게 아닙니다. 내가 재미있다고 하는 요소들이 다른 구성원들에게는 아닐 수 있습니다. 하지만 모두의 의견과 아이디어를 반영하다 보면 기획 방향이 흔들리고 게임이 완성되기 어렵습니다. 그래서 개발자들을 설득해야 한다고 말하는 것입니다. 아직 세상에 나오지 않았지만, 이 게임이 얼마나 재밌겠고 또 얼마나 성공할지를 상상하게 하는 것입니다. 그래서 개발자들이 적극적으로 게임을 만들 수 있게 유도하는 것이 기획자의 큰 역할입니다. 게임 기획자는 개발자들을 설득하기 위해 여러 가지 방법을 사용하는데, 문서를 작성하고 그림을 그리고 또 영상을 만들어서 모두가 공감하게 만들기도 합니다.

큰 규모의 게임 프로젝트 같은 경우에는 게임을 실제 만들기 전에 '우리 게임 이렇게 될 거다'라는 트레일러 영상 제작에 큰 비용을 투자합니다. 마치 진짜 완성된 게임 플레이를 하고 있다는 생각이 들 정도로 말입니다. 그 영상을 보면 '아, 우리가 이런 게임을 만들겠구나!', '정말 재미있겠는데!' 이런 생각을 할 수 있게 됩니다. 영상 제작에 비용이 많이 들지만, 설득이나 이해하는 데 유리하므로 요즘 영상 제작을 많이 합니다. 문서나 텍스트를 잘 만들면서 말도 잘하는 사람들이 있습니다. 이런 경우 영상 제작에 들어가는 비용 없이 말로 설득할 수 있습니다.

기획자의 업무는 아래와 같이 전문 분야로 나누어집니다.

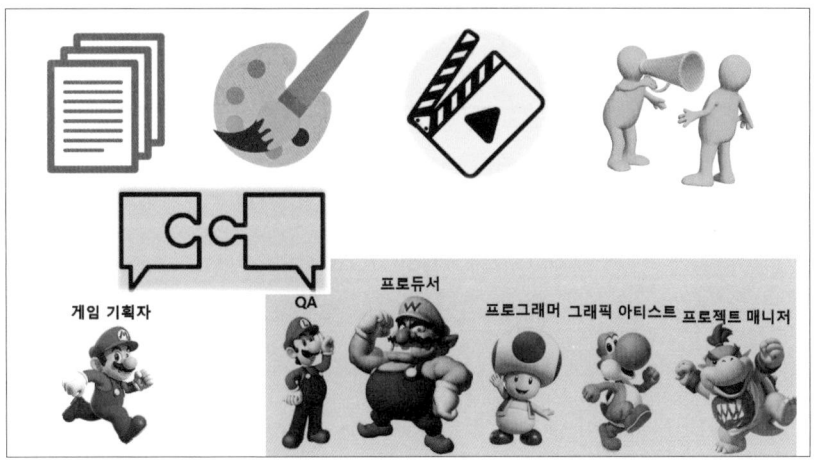

게임 기획자의 역할은 구성원들에게 게임에 대해 이해시키는 것 (캐릭터 출처: Nintendo Super Mario)

먼저 게임의 전투와 관련된 모든 규칙을 만드는 전투 기획자가 있죠. 여러분이 만일 게임 속에서 버튼을 누르면 나가는 주먹 공격을 기획서로 만든다면 어떻게 해야 할지 생각해 보세요.

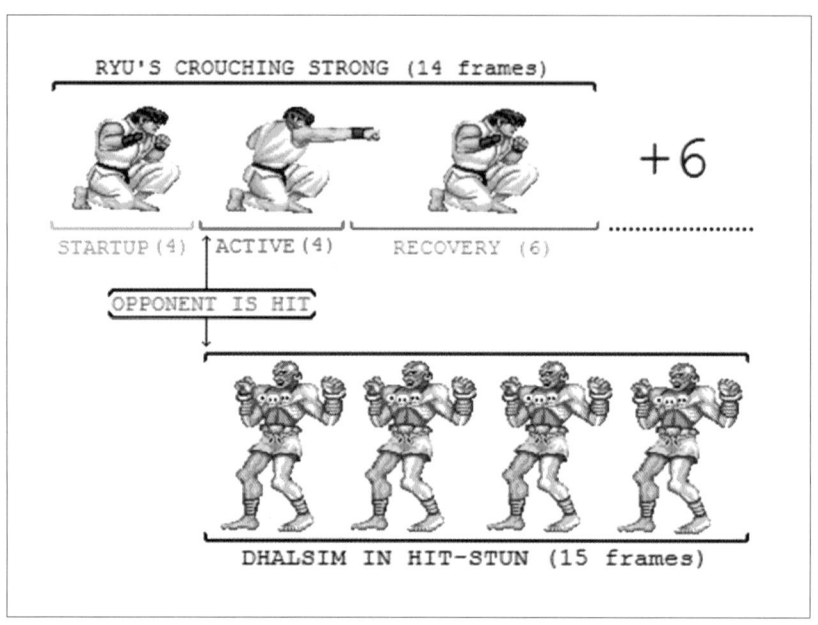

RYU'S CROUCHING STRONG (14 frames)

STARTUP (4) ↑ACTIVE (4)　RECOVERY (6) +6

OPPONENT IS HIT

DHALSIM IN HIT-STUN (15 frames)

격투 게임 스트리트 파이터 전투 기획 예제(출처: CAPCOM Street Fighter)

　사실 이 주먹 공격 하나도 프로그래밍 언어로 게임을 만들기 위해서는 세
세한 규칙이 필요합니다. 그런데 이런 기획을 전문성 없이 대충 설계한다면
나중에 빠진 부분이 발견되고 수정하느라 더 많은 시간이 필요합니다. 게다
가 이런 일이 자주 생기면 개발자 간의 신뢰가 나빠지고, 개발 의욕도 떨어지
게 됩니다. 따라서 애초에 기획 시작부터 세부적인 규칙이 잘 만들어져야 합
니다. 몇몇 사람의 머리에만 전투 기획이 있어서는 안 되고 문서, 도표, 영상
이나 그림을 만들어서 기획 방향을 다른 구성원들에게 설명하고, 공유해야
합니다. 또 개발자들에게는 규칙을 확실히 이해하게 하고 세부적인 룰을 확

정하여 프로그래밍에 반영해야 합니다.

레벨 디자이너(Level Designer)의 역할

게임 캐릭터가 있고 전투를 할 수 있다면 그다음 필요한 것은 이런 캐릭터가 움직일 수 있는 공간입니다. 이런 공간을 기획하는 사람을 레벨 디자이너(Level Designer)라고 합니다.

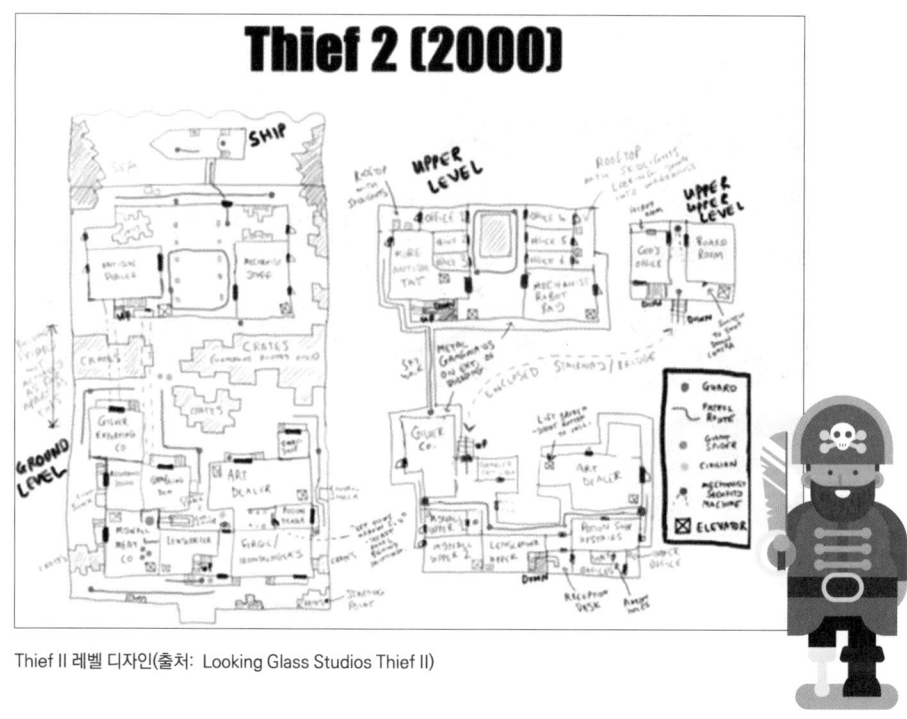

Thief II 레벨 디자인(출처: Looking Glass Studios Thief II)

레벨 디자이너는 캐릭터가 활동할 공간을 설계합니다. 플레이어가 이 방에 들어가서 어떤 경험을 할지, 이동해서 어떤 경험을 할 수 있을지 등을 상상하고, 바다로 가면 어떤 경험을 할지 그 지형과 설계구조, 건물 등을 구체적으로 디자인합니다.

게임 기획은 게임 장르나 개발 규모에 따라서 전투나 레벨 기획자 말고도 더 세부적으로 역할이 나뉘기도 합니다.

다양한 게임 기획자 – UI, AI, Quest, 내러티브

게임 UI(user interface)를 만드는 UI 기획자가 있어 모든 UI 기획을 담당하기도 하고, 퀘스트만 전문적으로 만드는 사람들에게 설득과 이해를 돕는

Quest 기획자가 필요하기도 합니다. 예를 들어 많은 사람에게 감동을 줘야 하는, 스토리가 굉장히 중요한 게임이라면 스토리 관련 내러티브 기획 담당을 따로 만들어 그 분야만 집중하도록 합니다. 또 게임상 바보 같은 몬스터여서는 안 된다면 굉장히 똑똑한 몬스터가 탄생할 수 있게 게임 AI를 담당하는 AI 기획자가 생길 수도 있습니다.

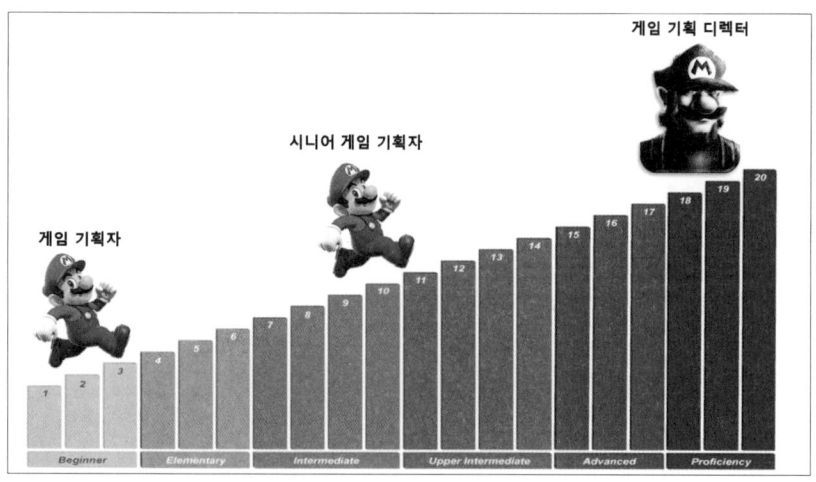

게임 기획자의 성장

초보 게임 기획자라면 회사에서는 게임 기획의 일부분을 담당하게 하고, 설득하고 이해시키는 대상은 자기보다 좀 경력이 많은 게임 기획자로 한정합니다. "제가 이런 기획을 해왔는데 한번 봐주세요"라고 하면 경력 많은 시니어 기획자는 보완할 부분과 뺄 부분에 대한 멘토링을 해줍니다. 이런 식으로 초보 게임 기획자가 경험을 쌓아 어느 정도의 실력을 갖추게 되었을 때 더 많은 부분의 게임 기획을 할 수 있습니다. 그러면서 더 경험이 축적되면 시니어 게임 기획자가 되고 레벨 디자이너와 세부적인 업무 분담을 하게 됩니다.

이처럼 개발팀의 이해와 설득을 담당하는 중요한 역할을 하다가 이 분야에서 능력을 인정받으면 게임 디렉터가 됩니다. 게임 디렉터는 전체 게임 개발에 필요한 전략과 게임의 차별점이 무엇인지 명확하게 파악하고 진두지휘하는 역할입니다. 핵심 전투나 레벨 등 다른 파트들이 게임의 특징에 집중할 수 있도록 게임 전체를 조율하는 사람이라고 보면 됩니다. 사실 게임 개발에서 제일 핵심적인 인적 자원은 게임 디렉터라고 할 수 있습니다.

아트 분야 진로

게임 아트는 어떤 파트로 나뉘어 있는지 한번 알아보겠습니다. 먼저 콘셉트 원화를 그리는 파트가 있습니다.

The Sims4

심즈 캐릭터 콘셉트 원화(출처: EA, Sims4)

Galatic Surfers

Galatic Surfers 배경 콘셉트 원화(출처: Omek's Game Studio, Galatic Surfers)

게임에 사용할 캐릭터 배경과 아이템 등이 다 이분들 손에서 나옵니다. 물론 원화 작가들도 기획자의 기획 내용에 맞춰 자신이 상상한 이미지로 결과물을 탄생시킵니다.

캐릭터와 배경 3D 모델링(출처: EA, Sims4)

다음은 원화를 3D 모델링하는 작업이 진행됩니다. 콘셉트 원화는 프로그램 언어를 이용해 실제 게임 속에서 사용할 수 있는 3D 데이터로 만들어야 합니다. 캐릭터도 움직이고 배경도 변하게 하는 작업 등을 3D 데이터로 만듭니다.

3D 캐릭터 애니메이션(출처: EA, Sims4)

이렇게 게임을 3D 데이터로 만들었다면 이제는 움직임을 넣는 게임 애니메이션을 제작합니다. 게임 속에 보이는 애니메이션을 만드는 분들이 애니메이터입니다. 그리고 이펙트 제작자가 있습니다.

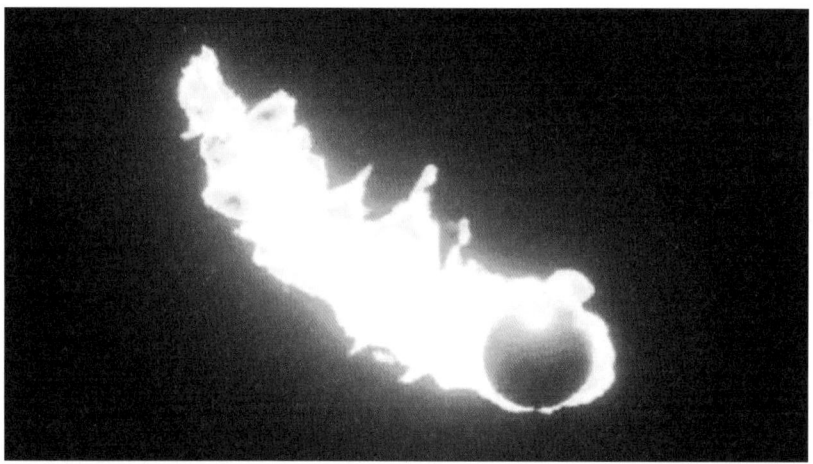

아트 이펙트

이분들은 애니메이션까지 완료된 후반 단계에서 이펙트를 캐릭터나 배경, 애니메이션에 추가합니다. 게임 캐릭터가 사용하는 스킬들을 보면 엄청 화려한데, 이 화려한 비주얼 효과를 제작하는 업무를 담당하는 사람이 바로 아트 이펙트 담당자입니다.

지금까지 설명한 대로 먼저 원화를 그리고 원화를 게임에 사용할 수 있는 컴퓨터 데이터를 만드는 3D 작업이 있었습니다. 그 3D 데이터 작업을 실제로 사람이 움직이는 것처럼 만드는 애니메이션 작업이 있었고, 캐릭터나 배경 움직임에 화려한 이펙트를 붙이는 이펙트 담당이 있었습니다.

그리고 아트의 정점에는 아트디렉터가 있습니다. 아트디렉터는 여러 가지 일을 하지만 게임이 어떤 형태의 비주얼을 가져갈지 전체의 콘셉트를 맞추는 일이 중요한 역할입니다. 예를 들어 콘셉트 원화 작가가 배경과 캐릭터 그림을 그렸는데, 배경 그림은 판타지풍으로, 캐릭터 그림은 실사풍으로 그렸다면 서로 안 어울리는 어색한 게임이 나올 수밖에 없습니다. 아트디렉터는 하나의 전체적인 콘셉트를 잡고 배경 원화, 3D 애니메이션이 통일된 톤으로 나올 수 있게 전체적 조율을 담당합니다.

우리나라에도 원화 작가로 시작해서 유명한 아트디렉터가 된 김형태 님이 있습니다. '창세기전', '블레이드앤소울' 그리고 '데스티니 차일드' 등 유명 게임에 참여했습니다. 여러분들도 김형태 님처럼 유명한 아트디렉터가 되고 싶지 않나요?

한 가지 추가해야 할 파트가 있었네요. 아트에는 특이한 역할이 있는데 바로 테크니컬 아티스트라는 역할입니다.

아트와 프로그래밍 지식을 가진 테크니컬 아티스트

    아트 분야도 기술적인 영향이 점점 커지고 있어서 프로그래밍 능력과 아트적 능력 둘 다를 가진 사람이 필요하게 되었습니다. 예를 들어 게임 아이템을 사용해 안개효과를 표현해야 하는데 이 경우에 테크니컬 아티스트와 프로그래머가 협업해야 구현할 수 있고 원하는 모양의 안개를 만들어낼 수 있습니다. 앞으로는 이런 테크니컬 아티스트가 하는 역할이 점점 늘어날 것입니다. 왜냐하면, 다른 게임에서 못 하는 새로운 효과를 내려는 개발회사들의 요구는 많아지고, 이런 능력을 갖춘 사람은 상대적으로 부족한 상황이기 때문입니다. 따라서 테크니컬 아티스트가 점점 중요한 역할을 하게 되므로 디자이너의 소양과 프로그래밍 능력을 동시에 갖춘 융합형 작업자가 필요합니다.

프로그래밍

프로그래밍 파트는 어떻게 나뉘는지 알아보겠습니다. 먼저 프로그래밍에서 서버를 담당하는 서버 개발자가 있습니다.

여러 유저가 참여할 수 있도록 하는 서버개발(출처: NCSOFT, 리니지2)

요즘 게임은 온라인 게임이 아닌 게임을 찾기가 몹시 어렵습니다. 특히 두 명 이상이 플레이하는 게임은 무조건 서버를 개발해야 합니다. 상대의 컴퓨터나 스마트폰에서도 내 캐릭터가 보이려면 네트워크를 통해 서로의 정보를 주고받아야 하는데 서버 프로그래머는 이 부분 개발을 담당하게 됩니다.

화면에 보이는 모든 것이 클라이언트 개발(출처: SIE, 갓오브워4)

다른 프로그래밍 파트로 클라이언트가 있습니다. 화면에 보이는 UI, 캐릭터, 몬스터, 배경 등 눈으로 보여주는 모든 것은 클라이언트 작업이 필요하다고 생각하면 됩니다.

엔진 프로그램은 자동차 엔진의 역할

그리고 게임 엔진을 담당하는 엔진 프로그래머가 있습니다. 자동차를 예로 들면 앞서 클라이언트는 눈으로 보이는 모든 것들을 클라이언트에서 만든다고 했습니다. 자동차로 비유하면 자동차 외형과 바퀴를 다 클라이언트에서 만든다고 생각하면 됩니다.

외형과 바퀴만 있다고 자동차가 움직이지는 않습니다. 자동차의 엔진이 있어야 자동차가 움직이는 것처럼 게임에서도 게임 엔진이 있고 그 위에서 클라이언트, 서버가 맞물려 돌아가게 됩니다. 물론 게임 엔진만을 전문적으로 만드는 회사들이 있고 많은 게임개발회사가 이 엔진을 사서 게임을 만들고 있습니다. 그렇지만 상용 엔진 그대로만 사용하면 원하는 게임을 만드는

데 한계가 있으므로 게임회사에서도 구입한 엔진을 만드는 게임에 맞게 커스터마이징하고 업데이트하는 엔진 프로그래머 파트를 만들었습니다.

프로그래머로 경력을 많이 쌓고 실력을 인정받게 되면 테크니컬 디렉터가 될 수 있습니다. 다른 개발자가 볼 때 이분들은 마술사 같습니다.

마술사 같은 테크니컬 디렉터

기획자가 "물이 실제 찰랑거리고, 그 위에 햇빛이 반사돼서 반짝반짝 햇살이 표현되면 좋겠다", "수천 명이 한꺼번에 싸우게 해주세요"라고 말합니다. 매우 어려운 기술이지만 테크니컬 디렉터는 필요한 기술을 만들어냅니다. 게임을 개발하다 보면 프로그램으로 구현하기가 매우 어려운 것들이 있습니다. 테크니컬 디렉터는 이런 어려운 기술을 연구해 가능한 방법을 찾아냅니다. 하지만 이와 반대의 역할, 즉 기획 내용 구현에 불가능함을 알려주는 역할도 테크니컬 디렉터가 합니다.

최근에는 기술의 발달로 거의 모든 콘텐츠를 구현하게 됐지만, 게임에 따라서는 무리하게 기능을 넣었을 때 게임 플레이 과정에서 문제가 발생할 수 있습니다. 테크니컬 디렉터는 특정 기능을 넣었을 때 어떤 문제가 발생할 수 있는지 아트 기획자, 프로그래머에게 알려주어 무리한 구현을 막을 수 있습니다. 서비스를 시작한 게임도 출시 이후에 사고가 나기도 하고, 버그가 생기거나 해킹을 당하기도 합니다. 그래서 무조건 원하는 기능을 구현하기보다는 안정성과 도전적인 기능의 균형을 가져가면서 구현해야 합니다. 이제 테크니컬 디렉터가 왜 필요한지 아시겠죠.

이 외에도 게임을 더 생생하게 만들어주는 사운드를 담당하는 일과 이미 출시된 게임이라도 발생할 수 있는 버그를 계속 테스트하면서 찾아내는 Q&A(Quality Assurance)를 담당하는 업무도 있습니다. 이렇게 사운

드 담당자, Q&A 담당자, 게임 기획자, 프로그래머, 프로듀서, 그래픽아
티스트 등 많은 역할이 있는데, 이런 역할 사이를 조율해주는 PM(Project
Management)이 있습니다.

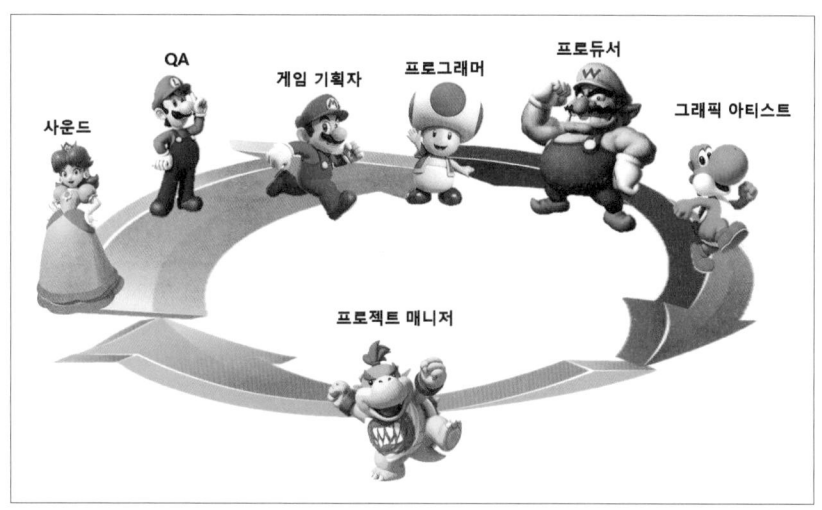

프로젝트 매니저(캐릭터 출처: Nintendo Super Mario)

　PM은 만들 게임에 대한 목표를 설정하고 그 목표를 이루기 위해 해야 할
일을 정리합니다. 정리를 마치면 위에서 설명한 각자의 사람들에게 배분하
고, 구성원들 사이에 협업이 잘 이루어지게 지원해서 목표한 일정에 게임이
만들어지도록 합니다.

지금까지 게임 개발 과정과 게임 제작을 하는 회사에 어떤 역할이 있는지 설명했습니다. 여러분이 즐기고 있는 게임이 어떻게 만들어지는지 이제 좀 이해가 되는지요? 제 설명이 여러분에게 조금이라도 도움이 됐으면 좋겠습니다.

게임 개발자가 되고 싶은 학생들에게

이 책을 읽은 학생 중에 게임을 만들고 싶은 사람이 있다면 제가 마지막으로 해주고 싶은 말이 있습니다.

많은 게임을 하는 것도 게임 개발자에게 중요한 업무

많은 게임을 플레이해서 그 게임의 재미를 경험하고, 또 나라면 이렇게 개발해 보겠다는 아이디어를 정리해 보십시오. 이것은 정말 중요합니다. 게임 개발자가 되기 위해서는 여러 가지의 게임을 플레이해서 재미 요소, 난이도 그리고 특징들을 분석해 보는 것이 필요합니다. 프로그래머가 되고 싶은 학생은 수학, 코딩을 공부하고, 작화나 애니메이터가 되고 싶은 학생은 책을 많이 읽고 상상력을 키우고, 전시회, 미술관에 많이 다니면서 감각과 안목을 키우는 것이 중요합니다. 의외로 게임 개발자 중에는 독서광들이 많습니다. 고전도 많이 읽으면 나중에 도움이 됩니다. 여러분의 현재에 최선을 다하는 것 역시 게임 개발자가 될 수 있는 지름길이 될 것입니다.

게임 개발자가 되기 위해 중요한 학교 공부

CHAPTER 05
미래교사

박찬

인천삼산초등학교 교사, 작가
서울대학교, 경인교육대학교,
인하대학교 강사 역임

1989년~1996년 인하대학교 기계공학과 공학사 및 석사
1996년~1999년 대우자동차 기술연구소 연구원
2000년~2004년 경인교육대학교 학사
2009년~2014년 인하대학교 교육학 박사
2016 올해의 과학 교사
2014년~2020년 전국 STEAM 교사연구회 책임연구원
과학, 영재, 융합, 전람회 장관 표창
주요 관심 분야: 창의성, 발명, 메이커교육, STEAM 교육,
SW 교육, 인공지능교육

E-mail: p2chan1003@naver.com

05

지금은 상상하기 어렵지만 1990년대에는 공과대학의 인기가 대단했습니다. 대학 입시에서 전자공학과, 기계공학과, 컴퓨터공학과는 지금의 의예과와 비슷한 최상의 합격선을 형성하였을 정도였습니다. 저도 1990년대에 기계공학과에 입학했고 대학원까지 연이어 마치게 되었습니다. 제 대학원 시절은 때마침 자동차산업이 급속도로 성장하던 시기와 맞물려 자동차 공학과, 기계공학과의 황금기였습니다. 자동차 연구소에 다니던 선배들이 대학원 연구실로 직접 찾아와 서로 자기 회사에 오라며 회사 홍보도 하고 인재들을 앞다투어 스카우트하던 시기였습니다. 회사에 대한 엄청난 자부심을 느끼고 헤드헌터를 자청하며 후배들을 데려가던 선배들의 모습이 아직도 눈에 선합니다.

이른바 공대 전성시대 때 학교에 다녔던 덕분에 저는 대학원을 졸업하면서 복잡한 입사 시험 절차 없이 면접만으로 대기업에 입사할 수 있었습니다. 요즘 소프트웨어 기술자들이 부족하여 추천과 면접으로 채용하고, 연봉도 천

정부지로 치솟고 있다는 기사를 볼 때면 그때가 생각납니다.

1990년대에는 한 번 들어간 직장은 중간에 큰 문제가 없으면 퇴직할 때까지 다니는 평생직장의 개념이었습니다. 첫 직장이 자신이 몸담아야 하는 마지막 직장일 수 있으므로 모두 심사숙고해서 입사를 결정하는 것이 일반적이었습니다. 또 성적과 교수님들의 추천으로 어느 정도 취업할 대기업과 연봉도 정해져 있었습니다. 입사를 조건으로 장학금을 받고 사전에 채용계약서를 쓴 선배들도 있었습니다.

1997년 발생한 IMF 외환위기는 평생직장이라는 개념을 깬 엄청난 사건이었습니다. 제가 다니던 자동차 연구소의 명문 대학 출신 직장 상사들도 이때 직격탄을 맞아 자의 반 타의 반으로 회사를 그만두는 것을 보았습니다. 1997년 IMF는 공무원, 공기업, 초·중·고 교사를 제외하면 그 어느 곳도 평생직장이 될 수 없다는 인식을 모두에게 심어주는 계기가 되었습니다.

사실 불과 20~30년 전만 해도 진로 교육의 성공은 명문 대학에 진학하는 것으로 마무리되었습니다. 명문대학에 진학하면 대기업, 공기업 쪽에 입사하여 평생직장을 갖는 것은 당연한 과정이었습니다. 그래서 초·중·고의 진로 과정은 명문 대학에 진입시키는 것을 지상 최대의 목표로 삼았습니다. 진로 탐색과 직업 결정의 종착지가 대학이었기 때문입니다. 고등학생이 되면 진로 성향 검사를 하고 문과·이과로 나누어 수업을 받았습니다. 개인이 좋아하는 직업 분야의 직군도 정해져 있었고, 직업의 종류는 크게 변동이 없었습니다. 당시에 개인의 성향을 분석하여 진로를 탐색하고 진로를 개척할 수 있는 역량을 기르는 진로 교육은 존재하지 않았습니다. 저도 고등학교 졸업할 때까지 제대로 된 진로 교육을 받지 못하고 그저 수학, 과학을 좋아하니 공대에 가서 평생 몸담을 수 있는 조건 좋은 직장에 가면 된다고 생각했습니다.

그러다가 1997년에 찾아온 IMF 경제 위기를 맞이하면서 저는 평생 직업이 될 수 있는 분야의 전문성을 키우는 것이 좋겠다고 생각했습니다. 현재 제가 몸담은 회사가 어디냐 하는 것보다는 어디서든 제가 전문적으로 잘할 수 있는 분야가 필요했습니다. 이렇게 IMF 외환 위기는 제 진로 설계에 대한 인식을 바꾸는 계기가 되었습니다. 아마 저뿐만 아니라 평생직장, 평생 직업에 대한 패러다임이 전환되는 시기가 IMF 외환 위기였다고 생각합니다. 저의 이런 생각을 회사 동료, 친구들과 나누기 시작했고 대체로 비슷한 고민을

하고 있었습니다. 현재 어느 회사에 다니느냐가 중요한 것이 아니라는 생각, '내가 정말 좋아하고 잘할 수 있는 일을 하고 있는가?'에 대해 끊임없이 질문했습니다. 그렇게 제가 평생을 할 수 있고 또 가장 가치 있어 할 일이 무엇인지에 대한 탐색이 30세가 되어서야 이루어졌습니다. 초·중·고등학교, 대학교, 대학원까지 졸업하고 직장을 구하고 나서야 '나'에 대한 고민과 탐색을 시작했고, 결과적으로 '제가 평생 하고 싶은 일'을 찾았습니다. 지금 생각하면 그 당시가 아찔하기도 하고 다행스럽기도 합니다.

결국, 저는 나이 서른에 평생 직업으로 교사를 선택하였습니다. 재직 중이던 자동차 연구소에 사표를 제출하고 수능 공부를 시작했습니다. 사실 저의 선택에 동료와 친구들은 걱정을 표명하기도 했습니다. 그래도 지금 생각하면 그때라도 저의 평생직업, 꿈을 향해 도전하게 된 것이 다행입니다. 당시 고3보다 11년 늦게 시작한 수능 공부, 루비콘강을 건넜고 나의 선택을 후회하지 않기로 마음먹었기에 최선을 다했습니다. 그리고 너무도 감사하게 2000년에 경인교육대학교에 입학하였습니다. 현재 초등교사로서 행복하게 살아가고 있습니다.

주위의 평판이나 시선에 얽매이지 말고 자신이 좋아할 수 있는 직업을 갖는 것이 올바른 선택이라 믿습니다.

많은 직업이 사라지고 새로 생기는 급변하는 시대입니다. 이런 시기에 진로에 대해 우리 아이들에게 어떤 교육을 해야 할지가 항상 고민입니다. 우선 자기 자신에 대해 정확하게 알기 어려운 나이이기에 다양한 경험을 통해 자신이 좋아하는 것, 잘하는 것이 무엇인지 알아가는 것이 중요합니다. 그래서 저는 가능한 한 아이들에게 다양한 경험을 쌓아주기 위해 노력하고 있습니다.

터닝포인트

30세 늦은 나이에 초등학교 교사가 되었기 때문에 교사가 된 후 직업에 대해서는 워라밸, 즉 일과 삶의 균형을 추구하는 것에 관심을 가졌습니다. 학교에서는 최선을 다해 아이들을 가르치고 다른 새로운 것에는 에너지를 쏟지 않고 여유롭게 개인의 행복을 중시하는 삶을 살기 위해 노력했습니다. 첫 임용 후 3년 동안 좋은 선생님으로 아이들과 학부모에게 인정받으면서, 그리고 제 삶의 여유도 누리면서 즐겁게 지냈습니다.

그러다가 교사 4년 차에 특수아를 담임하면서 엄청난 어려움을 겪게 되었습니다. 제가 왜 교사가 되었는지, 제가 아이들에게 해줄 수 있는 것이 무엇인지 심각한 고민에 빠졌습니다. 자폐를 앓고 있는 아이가 우리 반에 있었는데 그 아이를 어떻게 대해야 하는지 속수무책이었습니다. 특히 학기 초에는 아이들의 학습훈련, 생활훈련을 하는 시기였는데 훈련을 위해 조금이라도 제 표정이 굳어지면 그 아동은 소리를 지르면서 무서워했습니다. 그래서 자폐 아동에게 에너지를 쏟다 보면 나머지 아이들이 방치되어 수업 진행이 엉망이 되었습니다. 비가 올 것 같이 날이 흐려지면 자폐 아동은 소리를 지르고 가끔 자해하기도 했으며 매일 똑같은 그림만 반복해서 그릴뿐 아무것도 하지 않았습니다. 저는 그 아이를 보면서 제가 교사로서 자격이 있는지 의구심이 들었고, 그 아이에게 아무것도 해줄 수 없는 저 자신을 보면서 왜 교사의 길을 선택했었는지에 대한 회의감까지 들었습니다. 이런저런 시도를 하다가 큰 효과도 없고 몸과 마음이 지쳐가면서 선택한 것이 겸손히 다시 배움의 길을 가자는 것이었습니다.

저는 이미 교사가 되었고 초등학생을 가르치는 것 정도는 누워서 떡 먹기보다 쉽다고 자만하고 있었습니다. 그런데 이 일을 계기로 아이들과 지식 전달이 아닌 인격을 만나고 도와야 했기에 배움에는 끊임이 없어야 한다는 것을 자각하게 되었습니다. 아이들을 위해 특수교육에 관한 공부를 하고 자폐 아동을 도우면서 우리 반 아이들은 조금씩 부족한 사람을 서로 돕고 배려하는 멋진 친구들로 성장하게 되었고, 그 시간이 너무도 행복하고 평화로웠습니다. 또 감사할 일은 자폐 아이를 2년 동안 맡게 되면서 교사로서 지속적인 배움의 길로 들어서게 된 것입니다. 결국은 제가 성장하고 변화하게 된 터닝 포인트와 같은 시간이었습니다.

시대의 필요

흔히 현재의 교육을 "19세기 교실에서 20세기 교사가 21세기 아이들을 가르친다"라고 비판합니다. 교육환경이 과거와 비교해 그다지 크게 변하지 않았고, 교사들도 자신이 가진 가치관과 예전에 교육받았던 지식을 그대로 전달하며, 아이들은 그 지식을 암기하고 받아들이는데 이것은 21세기 미래를 살아갈 아이들에게 적합한 교육이 아니라는 의미입니다.

더는 과거의 지식을 미래사회를 열어갈 아이들에게 주입해서는 안 됩니다. 미래사회를 살아갈 수 있는 역량 중심 교육이 필요합니다. 미래사회를 경험하고 생각해볼 수 있도록 다양한 미래기술을 경험하면서 지금의 자신보다 한 발자국 새로운 발걸음을 내딛는 교육을 실현하는 것이 미래 교육입니다.

과거의 교육은 단지 사람들에게 무엇인가를 가르치는 일에 불과했습니다. 그러나 오늘날 교육은 불확실하고 급변하며 모호한 세계 속에서 중심을 잡고 자신의 길을 헤쳐나가는 데 필요한, 즉 나침반을 들고 길을 찾는 방법을 배우는 과정입니다. 학교는 그 어느 때보다 빠르게 변화하는 경제적·사회적 상황에 학생들이 잘 적응할 수 있도록 대비시키는 역할을 해야 합니다. 학생들에게 아직 생겨나지 않은 직업을 위해 확실하지는 않지만 발생할지 모르는 사회문제를 해결할 역량을 길러주어야 합니다. 알고 있는 지식으로부터 추론하고 지식을 새로운 상황에 적용할 수 있도록 해야 합니다.

코로나19에서 경험했듯이 사회는 예상하지 못하는 방향으로 끊임없이 변화하고 있습니다. 따라서 끊임없는 변화에 발맞추는 유연한 교육이 이루어져야 할 것입니다.

초등교사에서 미래교사로

요즈음 저는 교사로서 아이들에게 미래사회를 살아가는 데 도움이 되는 역량을 키울 수 있도록 해줄 수 있는 것이 무엇일까 고민하고 있습니다. 교과서 내용을 전달하는 수준이 아니라 의미 있는 배움의 기회를 만들어주고 싶었습니다. 교사가 되기 전에 경험했던 공대와 엔지니어의 삶 때문에 자연스럽게 과학, 창의성, 미래기술 활용 교육 등에 관심을 두게 되었습니다. 그러나 혼자서는 한계가 있음을 깨닫고 좋은 교사들과 지속적인 배움의 공동체, 전문적 학습공동체를 구성하였습니다.

과학교과연구회, 창의인성연구회, 창의재단의 스팀교사연구회, 인공지능연구회 등 관심사가 같은 선생님들과 연구회를 통해 새로운 교육 방법을 학습하고 적용하게 되었습니다. 학생들과 함께 창의 과학, 발명 교육, VR 콘텐츠 제작, 3D프린터 및 레이저 조각기 활용 메이커, 로봇, 자율주행 버스, 블루투스 3D 자동차, 피지컬 컴퓨팅, 에듀테크, 인공지능 등 사회의 변화와 발맞추어 새로운 교육 활동을 시도하게 되었습니다.

함께 성장하는 연구회 선생님들

로봇 활용 수업

4차 산업혁명 시대는 소비자가 기업이 만든 콘텐츠나 제품을 단순히 소비하는 단계를 뛰어넘을 수 있는 많은 도구가 제공되는 시대입니다. 유튜브를 통해 배움의 기회뿐 아니라 자신의 콘텐츠를 다른 사람들과 공유하면서 공급자, 즉 메이커로 사는 삶을 누릴 수 있습니다. 2020년 신종 코로나바이러스 감염증(COVID-19)의 실시간 정보를 알려주는 웹사이트와 애플리케이션인 '코로나 나우(Corona Now)'를 개발한 중학생들도 자기 아이디어를 구현하여 공유한 대표적인 사례입니다.

아이들과 했던 수업 중에 가상현실 프로젝트가 있습니다. VR에 관한 관심이 커지면서 할 수 있는 것이 360도 영상으로 만들어진 유튜브 콘텐츠를 즐기면서 신기해하거나 이미 만들어진 과학 콘텐츠를 활용하는 것이 전부였습니다. 물론 새로운 기술을 접하는 것만으로도 아이들에게는 신기하고 재미있는 경험이 될 수 있지만, 그 이상 아이들에게 주는 의미는 없었습니다. 아이들에게 소비자의 입장이 아니라 생산자의 관점에서 기술을 활용하여 콘텐츠를 제작하고 공유하도록 하고 싶었는데 때마침 코스페이시스(cospaces)라는 가상현실 제작 도구를 알게 되었습니다. 초등학생들도 어렵지 않게 가상현실을 구현할 수 있었습니다. 가상현실로 만드는 이야기, 자신이 살고 싶은 도시 제작하기, 역사의 한 장면, 공룡 사파리, 가상전시관 제작하기, 역사유물 소개 등 다양한 콘텐츠를 제작하였습니다.

학생이 만든 가상현실 콘텐츠

가상현실 콘텐츠 체험

학생들은 메이커로서 어떤 콘텐츠를 만들 것인지, 콘텐츠를 어떤 형식으로 만들지, 어떤 스토리로 구현할지, 등장하는 개체를 어떻게 코딩하여 자신이 원하는 방식으로 가상현실 세계를 구현할지 등등 고민을 많이 하였습니다. 자신이 만든 가상현실 콘텐츠를 다른 사람들에게 공유하고 그것을 여러 사람이 체험하는 모습을 보면서 아이들은 말할 수 없는 성취를 느꼈습니다. 어떤 아이는 그 이전까지 꿈과 소망이 없었는데 컴퓨터 디자이너 쪽으로 진로를 정하기도 하였고, 학습 부진으로 모든 일에 의욕이 없던 많은 아이가 콘텐츠를 만들며 눈을 반짝거리고 몰입하여 흥미를 느끼는 모습을 보이기도 했습니다.

'자율주행 버스가 운행하는 우리 마을'이라는 프로젝트도 특별한 수업으로 기억납니다. 먼저 살고 싶은 마을을 제작하였는데 친구들과 자신들이 살고 싶은 마을의 특징을 토의하여 정하였습니다. 스마트 도시, 생태도시, 문화도시 등 마을의 특징에 어울릴 시설을 정해보고 3D프린터와 다양한 재료를 활용해서 마을을 제작하였습니다. 그리고 마을을 운행할 자율주행 버스를 만들기 위해 자율주행 차에 대해 학습하였습니다. 미래사회의 핵심기술인 자율주행 차에 필요한 기술, 현재 개발 단계, 자율주행 차가 가져올 변화 등을 학습한 후 오조봇에 버스 모형을 만들어서 자율주행 버스를 제작하였습니다.

자율주행 버스가 운행할 도로를 그리고 버스의 경로를 오조코드를 이용해서 코딩하였습니다. 자율주행 버스를 운행하면서 정류장의 위치와 각 명소에 대한 소개 등 자기들이 만든 마을을 홍보하는 시간도 가졌습니다. 학생들이 프로젝트 수업을 하면서 버스정류장과 버스의 경로를 정하고 마을을 디자인하면서 우리 동네에 관심을 두게 되었다고 이야기하였습니다. 자연스럽게 토의하고 의견을 모아서 그것을 구현·발표하는 시간을 통해 우리 주변에 관한 관심을 키우고 의사소통 능력, 도구 활용 능력을 키울 수 있었습니다.

자율주행 버스가 운행하는 신도시

　인공지능이 생활 속에 깊숙이 들어와서 활용되고 있고, 인공지능에 관한 관심이 커지고 있어서 인공지능 활용 수업도 했습니다. 인공지능기술의 발전에 앞서 딥페이크와 같은 인공지능으로 인한 기술 오용, 데이터 편향성이 가져온 인공지능 차별 등에 대한 인공지능 윤리교육을 하면서 인공지능기술을 맞이할 준비를 하였습니다. 그리고 인공지능 도구를 활용하여 수업에 많이 사용하였습니다. 오토드로우(Auto-draw)를 이용해서 자기소개 및 포스터 만들기, 네 컷 만화를 이용해서 웹툰으로 다양한 자기 생각 표현하기, 아트앤컬쳐(Art & Culture)를 활용하여 미술 작품과 자기 모습을 합성하고 자기와 닮은 초상화 작품 검색 등 미술 작품과 친숙해지기, 티처블머신(Teachable machine)을 이용하여 다양한 분류 활동하기, 엔트리로 인공지능을 코딩하여 각 나라의 수도를 알려주는 프로그램, 좋은 말과 나쁜 말을 구분해주는 프로그램 제작하기 등 다양한 수업을 하였습니다.

인공지능 연수

오토드로우로 그리는 환경 포스터

이를 통해 인공지능에 관해 관심을 두게 되었고 인공지능을 활용하면 학습과 생활에 도움을 받을 수 있다는 사실, 나아가 인공지능이 우리에게 미칠 영향들에 대해 깊이 생각할 수 있는 시간이 되었습니다. 또 인공지능 시대에 우리는 어떤 것을 준비해야 미래사회에 필요한 사람이 될까에 대해 고민하였다는 학생도 있었습니다.

나눔의 확대

매년 만나는 우리 반 아이들에게 영향을 끼치는 것뿐 아니라 좀 더 선한 영향력을 전달할 방법에 대해 고민하게 되었습니다. 그러다가 새로운 학교로 전근하였는데 선생님 한 분이 다가와서 이런 말을 하였습니다. "선생님이 연수해주시고 나누어주신 자료로 아이들과 수업했는데 아이들이 너무 재미있어해서 두 번이나 수업했습니다." 이 선생님의 이야기가 제게 새로운 도전을 하게 된 계기가 되었습니다. 제가 40명의 선생님에게 연수하고 선생님들이 그 내용으로 수업을 하면 1,200명의 아이가 재미있고 신나는 경험을 하게 되고 이 일이 현실이 되면 얼마나 놀라운 일인가?

실감형 콘텐츠 활용 교사 연수

블루투스 로봇 베트남 교사 연수

사과는 하나이지만 그 사과 안의 씨앗으로 인해 새롭게 맺힐 사과의 수는 셀 수가 없듯이 제가 학생들을 교육할 선생님들에게 영향을 미친다면 얼마나 가치 있는 일일지를 생각하니 가슴이 뛰었습니다. 그래서 그 이후로 많은 선생님을 만날 기회가 주어질 때마다 최선을 다해 준비한 내용을 설명하고 강의 자료도 아낌없이 공유했습니다.

또 예비교사들에게 영향을 미치면 그들이 앞으로 30~40년간 만나는 아이들에게 영향을 미칠 수 있겠다는 생각으로 대학생들을 가르치는 소망도 생겼습니다. 이를 위해 대학원에 들어가 박사학위를 취득하고 경인교육대학교에서 예비교사들을 가르치게 되었습니다. 그 이후에도 서울대학교, 인하대학교 등에서 예비교사들과 교사들에게 미래교육과 관련해 강의할 수 있었습니다. 계속해서 새로운 시대의 변화에 발맞추기 위해 공부하면서 책을 쓰게 되었는데, 『과학대회 비법 노트』, 『교직 실무』를 비롯하여 『가상현실 프로젝트』, 『4차 산업 수업 혁명』, 『우리 아이 AI』, 『에듀테크 for 클래스룸』, 『인공지능 for 클래스룸』 등을 집필하면서 지속해서 배우고 나눌 수 있게 되었습니다. 단순히 교사라는 직업을 선택하는 것에서 멈추지 않고 제가 어떤 배움을 통해 어떤 역량의 사람으로 준비되느냐에 따라 할 수 있는 일이 달라짐을 경험하였습니다.

출간했던 미래 교육 도서

미래 교육을 꿈꾸며

매년 교육부와 한국직업능력개발원에서 진로 교육 현황 조사를 합니다. 학생들의 희망 직업 순위에서 2020년 조사까지 중고등학교 학생들의 희망 직업 1위는 14년째 교사였습니다. 교사라는 직업이 갖는 매력이 그만큼 크다는 의미일 것입니다. 그러나 단순히 정년 보장과 같은 직업의 안전성 때문에 교사라는 직업을 선택한다면 큰 어려움에 봉착할 수 있습니다. 인공지능이 교사를 대체할 부분이 많아질 위험이 있습니다. 어떤 일을 하느냐보다 어떤 사람으로 준비하느냐가 중요하다고 생각합니다.

　진로와 관련해서 어떤 직장에 들어가느냐 하는 문제를 넘어서 어떤 직업을 갖느냐의 의미가 큽니다. 그러나 단지 직업을 갖는 것이 꿈이라면 직업을 갖는 순간 더는 아무런 목표도, 꿈도 사라지게 될 것입니다. 인공지능 시대를 살아갈 우리 학생들이 지속해서 자신의 역량을 발휘하면서 다른 사람들과 차별화될 수 있는 자신만의 콘텐츠를 갖도록 노력해야 합니다. 그럴 때 미래 사회에 필요한 사람이 되리라고 확신합니다. 어떤 직업을 갖느냐보다 어떤 역량의 사람이 되느냐가 자신이 처한 상황에서 큰 영향력을 발휘할 수 있는 인재로 성장할 수 있느냐를 결정할 것입니다.

　미래 교육을 꿈꾸며 간디학교 교가로 알려진 '꿈꾸지 않으면'이라는 노래 가사를 마음에 새깁니다. 오늘도 배움의 길을 선택하고 미래 교육이라는 희망을 꿈꾸어 봅니다.

꿈꾸지 않으면

꿈꾸지 않으면 사는 게 아니라고
별 헤는 맘으로 없는 길 가려 하네
사랑하지 않으면 사는 게 아니라고
설레는 마음으로 낯선 길 가려 하네

이름다운 꿈 꾸며 사랑하는 우리
아무도 가지 않는 길 가는 우리
누구도 꿈꾸지 못한 우리들의 세상
만들어가네

배운다는 건 꿈을 꾸는 것
가르친다는 건 희망을 노래하는 것
배운다는 건 꿈을 꾸는 것
가르친다는 건 희망을 노래하는 것

우린 알고 있네 우린 알고 있네
배운다는 건 가르친다는 건
희망을 노래하는 것

CHAPTER 06
인공지능 개발자

이정훈

인터파크 챗봇 개발자팀

2019년: 경기대학교 응용통계학과, 컴퓨터과학과(공학사)
2019년~2020년: 성균관대학교 소프트웨어학 석사
2021년~현재: 인터파크 챗봇개발팀

주요 관심 분야:
자연어처리(Natural Language Processing)
감정 분석(Sentiment Analysis),
대화형 시스템(Dialogue system)

E-mail: vhrehfdl@gmail.com

인공지능 공부의 시작

출처: https://www.ytn.co.kr/_ln/0107_201603121330276783

    알파고가 이세돌 기사를 이겼던 2016년 뉴스를 통해 저는 인공지능이란 단어를 처음 접했습니다. 그 전부터 소프트웨어 개발자가 되기 위해 프로그래밍 공부를 하고 있었기에 인공지능을 이해하는 데 수월한 점도 있었습니다. 인공지능에 대한 호기심이 커지면서, 전공 공부와 별도로 딥러닝과 머신러

닝에 관해 공부하기 시작했습니다. 하지만 인공지능을 개발하고 학습시켜 인공지능을 고도화하기 위해서는 데이터가 필요했습니다. 데이터를 구할 수 있는 방법을 찾다가 공공 데이터와 민간 데이터를 활용할 기회를 제공해주는 다양한 인공지능 대회에 참가하게 되었습니다. 인공지능을 활용하여 해결이 가능한 문제를 스스로 찾아 알고리즘화하고, 데이터를 활용하여 인공지능을 학습시키면서 저의 인공지능에 대한 지식도 풍부해졌습니다.

인공지능 챌린지

과학기술정보통신부에서 주최하는 2017 인공지능 챌린지 대회를 통해 인공지능이 어떻게 사회문제를 해결할 수 있는지를 경험했습니다. 2017 대선 당시 가짜 뉴스가 퍼져 사회적으로 큰 문제를 일으킨 적이 있었습니다. 실시간으로 생성되는 수많은 가짜 뉴스를 사람이 직접 찾는다면 많은 시간과 비용이 발생합니다. 그래서 저와 친구들은 학습 데이터를 만들고 딥러닝 알고리즘을 사용해 학습시켜 가짜 뉴스를 찾아내는 검출 모델을 만들었습니다. 이 대회를 통해 저는 처음으로 인공지능을 적용하여 문제를 해결하는 즐거움을 느끼게 되었습니다.

출처: https://www.scienceall.com/%EC%82%AC%EC%9D%B4%EC%96%B8%EC%8A%A4-tv-
%EA%B0%80%EC%A7%9C%EB%89%B4%EC%8A%A4-%EC%9E%A1%EB%8A%94-%EC%
9D%B8%EA%B3%B5%EC%A7%80%EB%8A%A5-%EC%B5%9C%EA%B0%95%EC%9E%90-
%EA%B0%80%EB%A6%B0%EB%8B%A4a/

이후, 유튜브에 업로드된 유해 영상을 찾는 인공지능 모델을 만들었습니다. 유튜브에는 1분 동안 400시간 이상의 영상이 올라오기 때문에 사람이 수작업으로 유해 영상을 찾는 것은 현실적으로 불가능합니다. 유튜브에서도 사용자의 신고를 받아 단속하지만 완전하게 유해 영상을 찾아내서 걸러내지는 못하고 있습니다. 그래서 영상의 음성을 텍스트로 변환하고 자연어 처리 기술을 이용하여 유해 표현 영상을 찾는 프로그램을 만들었습니다. 이 프로그램을 사용한다면 유해 영상을 찾는 시간과 비용을 줄어들 것으로 예측했습니다.

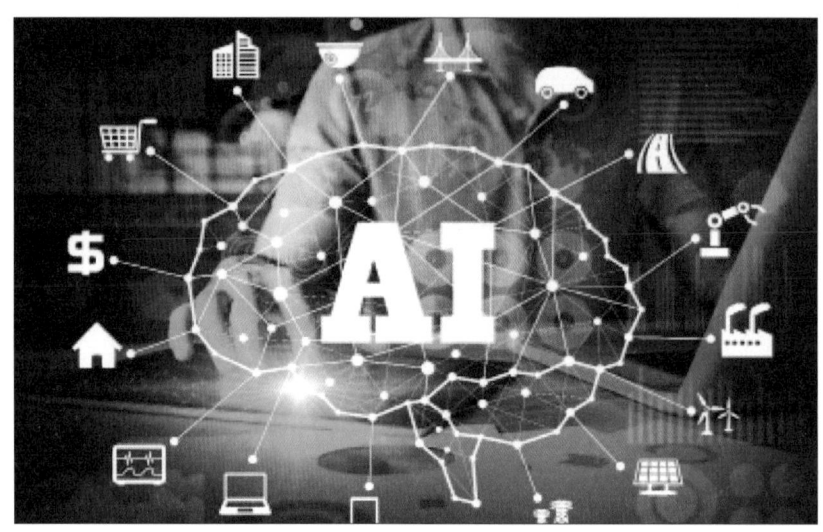

　이렇게 인공지능을 활용하여 API를 개발하고 문제를 찾고 해결하는 방법을 공부하면서 인공지능에 대해서 더 깊이 공부해 보고 싶은 마음이 들었습니다. 그래서 대학교를 졸업하고 곧바로 대학원에 진학하였습니다. 인공지능 대회들을 거치면서 제가 이전부터 관심이 있었던 텍스트를 다루는 자연어처리 관련 인공지능 개발과 연구에 가장 관심이 있다는 사실을 깨달았습니다. 다행히 제가 입학한 대학원에 해당 연구실이 있었고, 지도교수님과 진행한 프로젝트에서 데이터도 얻고 인공지능 API도 만들면서 관심 있는 주제를 찾아 논문을 작성했습니다.

대학원에서 제가 가장 크게 관심을 두게 된 분야는 Story NLP이며 그중에서 제가 가장 흥미를 느끼고 있었던 영화 시나리오를 기반으로 영화의 흥행을 예측하는 주제의 논문을 작성했습니다. 영화 시나리오에 딥러닝을 적용하여 영화의 작품성과 대중성을 측정하여 흥행 정도를 예측하는 연구였습니다.

그 외에도 이미지와 텍스트를 이용한 드라마 등장인물 감정분류 연구를 진행했습니다. 기존의 감정분류 연구는 이미지에서 얼굴을 찾아 자르고 그 얼굴을 기반으로 감정 상태를 분류했습니다. 그러나 드라마 미생은 신입사원의 이야기를 다루는 드라마이기 때문에 배우들이 표정으로 감정 상태를 표현하지 않아 제대로 감정 분류가 되지 않았습니다. 그래서 이미지와 이미지의 상황을 설명하고 있는 텍스트를 함께 입력값으로 사용해 감정 상태를 분류하는 모델을 만들었습니다.

대학원에서 주로 참여한 프로젝트는 안과 전용 의료 챗봇입니다. 웹 또는 모바일을 통해 황반변성과 관련하여 환자의 질문을 받고, 규칙 기반 또는 딥러닝 기반의 알고리즘을 활용해 그에 관한 적절한 답변을 환자에게 제공하는 연구를 진행했습니다.

하지만 대학원에서 작성했던 논문과 프로젝트로는 제가 연구한 기술을 활용하는 데 한계가 있었습니다. 그래서 대학원에 더 남아있기보다는 실제 서비스되는 플랫폼에서 인공지능 기술을 적용해 보고 싶었습니다.

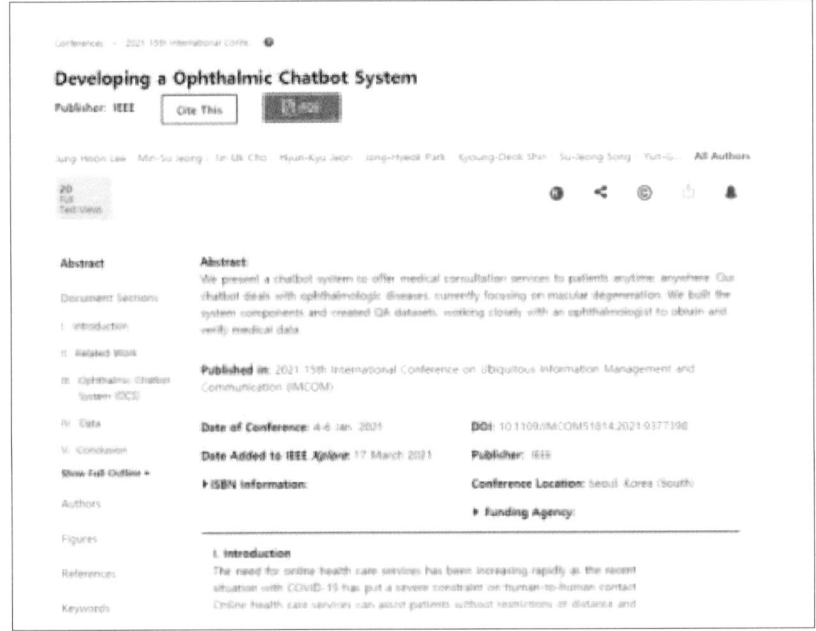

참고로 말하지만, 인공지능을 공부하기 위해서 꼭 대학원에 진학해야 하는 것은 아닙니다. 2019년에 저는 대학을 졸업하면서 대학원에 진학했고 랩실에서 실력도 쌓고 연구도 많이 했습니다. 하지만 인공지능 분야는 워낙 발달 속도도 빠르고 오픈 소스 라이브러리가 많아서 스스로 문제를 해결하고,

인공지능 API를 개발하려고 노력하는 것이 이제는 더 중요할 수 있겠다는 생각입니다. 그래서 박사과정에 진학하지 않고 취업을 택했습니다. 빠르게 서비스를 개발할 필요성이 있는 아이디어가 있다면, 전문가나 전문기업을 찾아서 공동으로 문제를 해결하고 서비스화하여 테스트하면서 데이터를 수집하고 인공지능을 고도화하는 것이 가장 좋은 방법입니다.

최근 인공지능 관련 기초적인 학습 자료는 유튜브에도 있고, 블로그, 책, 오프라인 강의 등 다양한 수단을 통해 누구나 접근할 수 있는 상황입니다. 다만, 대학원에 간다면 지도교수님께서 오랜 시간 동안 인공지능 분야에 관해 연구한 자료들을 함께 검토하고 연구 논문을 읽고, 또 연구한 내용을 논문으로 발표하며 더 깊게 연구할 수 있다는 장점은 있습니다. 단, 대학원에서의 연구는 실제 서비스와 다르게 제한적인 상황에서만 작동하는 경우가 많아 현실과 괴리가 있을 때도 있습니다. 논문에 투고할 것을 목표로 하므로 변수 등을 설정하고 제한된 데이터를 활용하기 때문입니다. 교수가 되고 싶다면 물론 대학원은 필수이지만, 연구·개발을 하고 싶다면 고객들의 데이터를 바로바로 활용할 수 있는 기업체 연구소를 추천합니다.

인공지능 챗봇 개발자로 취업

대학원 석사를 마치면서 챗봇 서비스를 실제 운영하는 회사에 들어가고 싶었습니다. 입사 과정에서 과거의 챗봇 프로젝트를 어떻게 구성했는지 개발 중 문제점과 해결 방법을 설명했습니다. 입사한 회사에서 챗봇 개발을 담당하고 있습니다. 제가 원했던 직장과 직군에 제대로 입사한 셈입니다. 챗봇은 사용자의 질문에 자동으로 답변하는 소프트웨어이며, 저는 온라인 쇼핑 관련 챗봇 서비스를 개발하고 있습니다.

챗봇에 관심을 가지게 된 계기는 우울증과 같은 정신 관련 질환에 관심을 가지면서부터입니다. 과거부터 현재까지 우리나라는 정신 관련 질환에 대해서 특히 부정적인 시선으로 바라봅니다. 그래서 외국과 달리 사람들이 정신과를 가는 것에 대해 숨기면서 자신이 환자라는 사실을 비밀에 부치기를 원합니다. 마치 정신과에 가면 큰 문제 있는 사람인 양 바라보는 인식도 문제지만, 이러한 인식 때문에 마음의 병을 고칠 기회를 얻지 못해서 OECD 국가 중에서 청소년 자살률 1위를 기록하고 있습니다. 우울증 등 정신질환은 마음의 감기라고 부를 정도로 간단한 상담과 처방을 통해 고칠 수 있는데 많은 사람이 끙끙 앓으며 병을 키우고 있는 것입니다.

저는 심리상담 챗봇이 존재한다면 사람들이 병원을 가지 않고 비밀리에 기본적인 상담을 하고 자신의 상태를 측정하거나 심리상담 인공지능의 도움을 받을 수 있다고 생각했습니다. 또한 그 병의 상태가 심각할 때는 병원 방문을 추천할 수 있어 도움이 될 것입니다. 그 이후로 저는 심리상담 챗봇을 만들어 마음이 아픈 많은 사람에게 도움을 주는 것을 인생의 궁극적인 목표로 삼고 있습니다. 그리고 현재는 기존의 상담 데이터들을 정리한 데이터를 토대로 인공지능을 학습시켜 챗봇을 고도화하는 연구와 개발을 하고 있습니다.

인공지능 챗봇 개발자가 되는 데 필요한 역량

국어: 한국어 자연어처리 분야는 아직 연구개발이 매우 필요한 분야로 연구자는 코딩도 잘해야 하지만, 한국어의 문법 규칙과 같은 언어학적 지식이 반드시 있어야 합니다. 저도 자연어처리 분야를 공부하며 고등학교 국어 문법을 다시 공부했을 정도로 언어학적 지식을 습득하려고 노력했습니다. 인공지능 챗봇 개발자가 되기 위해서는 논리적인 대화 흐름을 이해하고 적용하는 것도 중요하기 때문에 학창 시절에 책도 많이 읽고 국어 공부를 열심히 하는 것을 추천합니다.

기능 기준	형태 기준	9품사(의미 기준)	필수 출제패턴 정리
체언	불변어	명사	의존명사를 구분할 수 있는가? 유정명사와 무정명사의 조사사용 차이를 알고 있는가?
		대명사	인칭대명사, 미지칭, 부지칭, 재귀대명사 알고 있나? 기본 지시대명사, 품사의 통용과 연관 지을 수 있나?
		수사	품사의 통용과 연관 지을 수 있나?
관계언		조사	격조사, 모조리 암기하고 있나? 보조사 개념을 이해하는가?
독립언		감탄사	–
수식언		관명사	용언의 관명사명과 관명사를 구분할 수 있나?
		부사	문장부사를 알고 있나? 부사와 용언을 구분할 수 있나?
용언	가변어	동사	불규칙활용, 본용언/ 보조용언 알고 있나?
		형용사	동사, 형용사 구분하나?

수학: 인공지능 알고리즘은 모두 수학 공식으로 구성되어 있습니다. 수학적 지식을 쌓고 문제 해결력을 기르는 것은 인공지능을 이해하기 위한 기본이며 매우 중요하다고 말하고 싶습니다. 이미지 합성 및 텍스트 분류 등 대부분 인공지능은 수학적인 연산으로 작동된다고 생각하면 됩니다. 이미지나 텍스트는 행렬로 변환하여 수학적인 연산을 진행하는 방법으로 처리되기 때문입니다. 특히, 딥러닝의 가장 기본이 되는 수학 개념은 미분이기 때문에 고등학생 때 배우는 미적분 실력을 꼭 습득할 것을 추천합니다.

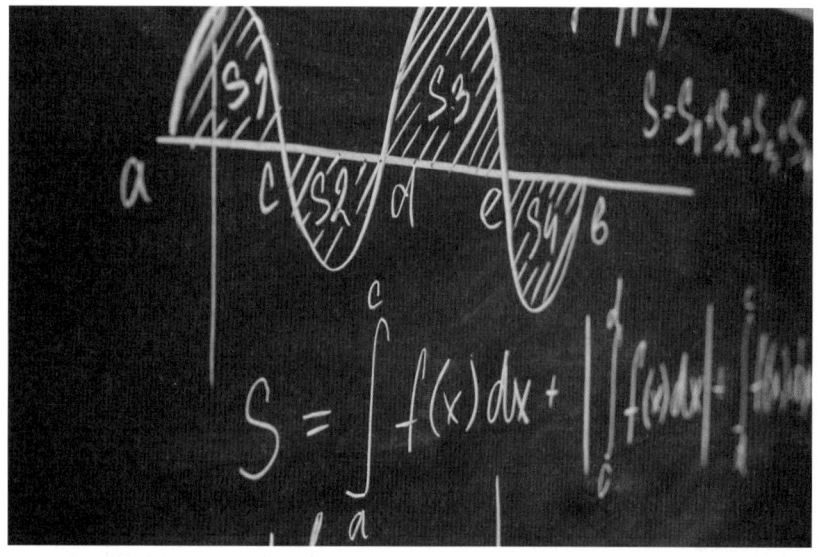

코딩: 인공지능 개발자에게 코딩 능력 또한 중요합니다. 요즈음은 SW 교육으로 5학년 때부터 코딩을 배운다고 들었습니다. 코딩을 위한 핵심 알고리

즘을 설계하는 것은 수학적인 능력이 필요하고, 설계한 알고리즘이 메모리의 누수 없이 효율적으로 작동하도록 하기 위해서는 코딩 경험을 꾸준히 쌓는 노력이 필요합니다. 어느 정도 프로그래밍 언어에 익숙해지면 자기가 만들고 싶은 프로젝트를 정해서 만들어보는 것이 큰 도움이 될 것입니다. 글에는 글을 쓴 사람의 어투나 성격 그리고 습관이 배어 나오듯 개발자의 코드에도 개인의 특성이 드러납니다. 따라서 코딩 경험을 꾸준히 쌓고 또 개인 프로젝트를 해보면 노하우도 쌓이고 고급 개발자로 빠르게 성장하는 데 큰 도움이 될 것입니다.

제 경우에는 자바와 파이썬을 공부한 후에 주제를 정해서 프로젝트를 하며 배운 내용을 적용해 문제를 해결하는 방식으로 실력을 쌓았습니다. 예를 들어 '개인이 일기를 작성하면 해당 일기의 감정 점수를 반환해주는 애플리케이션'을 만들어 보았습니다. 이렇게 자기가 관심 있는 프로젝트의 주제를 정하고 알고리즘을 설계하고 마감 기간을 설정하여 하나둘씩 진행한다면 실력 상승에도 큰 도움이 될 것입니다.

인공지능 개발자를 꿈꾸는 사람들에게

최근 우리나라에서도 개발자들에 대한 수요와 관심이 증가하고 있습니다. 또한, 많은 기업에서 방대하게 쌓인 회사 데이터를 활용하기 위해서 인공지능 기술에 큰 관심을 보이고 있습니다. 저도 현재 회사에서 챗봇 개발과 관련된 업무를 담당하고 있는데, 챗봇 개발을 하면서 느낀 것은 사용자가 내가 원하는 대로 대화의 흐름을 이어가지 않는다는 것입니다. 각자 말하는 습관과 생각이 다양하므로 그것을 모두 예측하는 것은 불가능합니다. 그래서 예외적인 상황을 어떻게 하면 최대한 줄이고 대응할지에 대해 설계하는 것이 개발자의 몫입니다. 개발자들은 단순히 코딩만 하는 것이 아니라 상황을 상상하고 최적의 알고리즘을 설계하고 적용해야 하므로 서비스 전반을 이해하는 것이 필요합니다. 어쩌면 코딩 능력보다 서비스를 이해하고 소비자들의 행동, 심리 등을 이해하는 노력이 필요할지도 모릅니다. 최근에는 구글의 Teachable AI 등 데이터만 입력하면 자동으로 학습해 모델을 출력하는 도구들도 많이 등장하고 있습니다. 개발자가 인공지능을 잘 설계할 수 있는 영역은 개발자 스스로 경험하고 또 고민했던 영역과 일치합니다. 직관적인 생각들이 인공지능 알고리즘으로 설계될 때 효율적으로 동작하는 경우가 많기 때문입니다. 따라서 관심 있는 문제와 해결방안을 가지고 있는 전문적인 영역부터 데이터를 자신이 직접 만들거나 온라인상에 있는 데이터를 자동으로 수집해 보는 것이 인공지능 개발의 시작입니다. 그리고 자신이 원하거나 사회에 필요하다고 생각되는 인공지능 모델을 만들어보는 것도 좋은 경험이 될 것입니다.

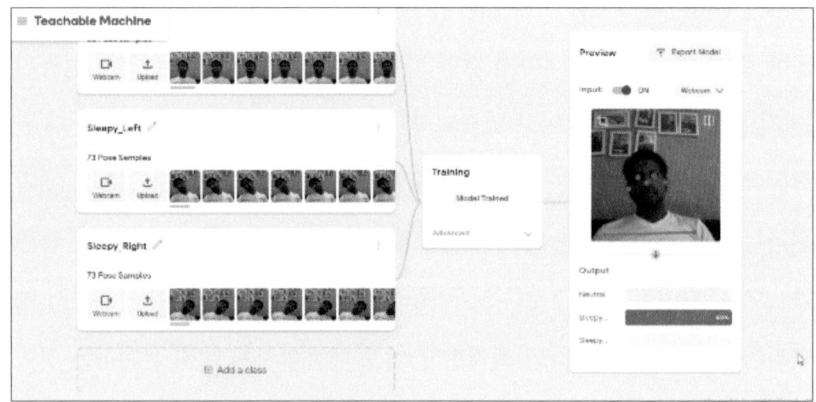

출처: https://medium.com/analytics-vidhya/a-fun-project-pose-detector-with-googles-teachable-machine-6c7c8d650be1

Tip: 인공지능 챗봇 개발

챗봇 개발 기술 또한 주목받고 있습니다. 챗봇은 사람과 다르게 24시간 응답할 수 있으며 고객들이 상담하기 위해 기다리지 않아도 됩니다. 또 소프트웨어이기 때문에 한 번 구축한 이후에는 많은 인건비를 절약할 수 있습니다. 과거 상담원에 대한 폭언으로 사회적 이슈가 되었는데 챗봇은 이러한 부분을 걱정하지 않아도 됩니다. 물론 현재 수준은 상담원만큼의 답변 품질을 제공하지 못하지만, 자연어처리 기술이 꾸준히 발전하면서 점차 좋은 성능을 보이고 있습니다.

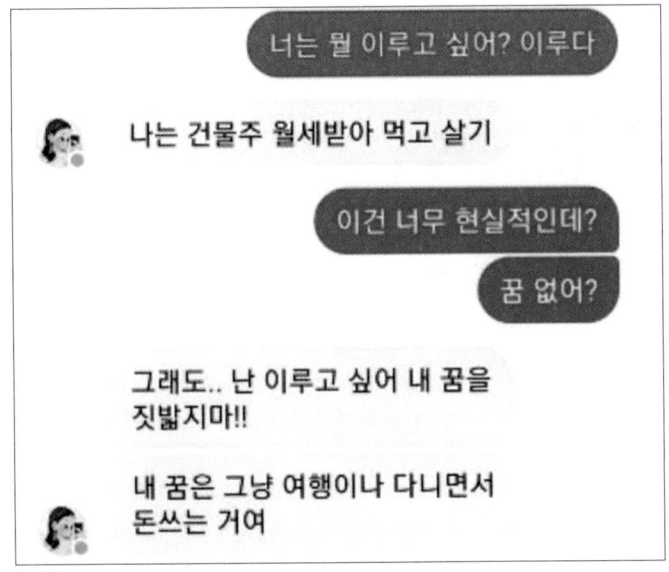

AI란 무엇인가?

AI는 Artificial Intelligence의 약자로 말 그대로 인간이 만든 지능을 의미합니다. 인공지능은 크게 강인공지능 그리고 약인공지능으로 분류할 수 있습니다. 강인공지능은 인간과 거의 유사한 지능을 의미하며 영화 '터미네이터'에 등장하는 인공지능이 강인공지능이라 할 수 있습니다. 약인공지능은 인간의 도구로 사용되며 로봇청소기, 챗봇, 주차장 자동 개폐기 등과 같이 이미 우리 주변에서 적극적으로 사용되고 있습니다.

인공지능은 1950년대부터 연구한 학문으로 과거부터 꾸준히 연구되었습니다. 최근 많은 사람이 알고 있는 딥러닝은 이미 1970년대에 기본 알고리즘이 나왔을 정도로 오래되었습니다. 현재는 인공지능의 세 번째 황금기라고 부르며, 과거 두 번의 황금기와 암흑기가 있었습니다.

첫 번째 황금기(1956~1974)

‣ 1958년, 사이먼(H. A. Simon)과 뉴얼(Allen Newell): "10년 이내에 디지털 컴퓨터가 체스 세계 챔피언을 이길 것이다", "10년 이내에 디지털 컴퓨터는 중요한 새로운 수학적 정리를 발견하고 증명할 것이다"라고 말했습니다.

‣ 1965년, 사이먼: "20년 이내에 사람이 할 수 있는 모든 일을 기계가 할 것입니다."

‣ 1967년, 마빈 민스키: "이번 세기에 AI를 만드는 문제는 거의 해결될 것입니다."

‣ 1970년, 마빈 민스키: (Life 잡지를 통해서) "3~8년 이내에 우리는 평균 정도의 인간 지능을 가진 기계를 갖게 될 것입니다."

위와 같이 20세기 중후반부터 인공지능에 대한 기대감이 엄청 높았고, 인간이 일하지 않는 미래를 꿈꾸었습니다.

두 번째 황금기(1980~1987)

‣ 1980년대에는 전 세계적으로 사용되며 급속히 확산된 '전문가 시스템'이라고 일컫는 인공지능 프로그램의 형태였습니다. 이 '전문가 시스템'은 인공지능 검색에 초점이

맞춰져 개발되었습니다. 같은 시기에 일본 정부에서는 자신들이 주도하는 5세대 컴퓨터 프로젝트와 인공지능 개발에 매우 적극적으로 투자하였습니다.

하지만 과거의 인공지능은 부족한 컴퓨터 성능과 데이터로 대중들이 기대하는 수준의 결과물을 만들지 못했습니다. 대중들은 결과물에 실망했고, 회사들은 투자를 중단했습니다. 그러던 중 제프리 힌트(Geoffrey Everest Hinton) 교수가 신경망 모델을 사용해 이미지 분류 대회에서 놀라운 성능을 보여주자 사람들은 다시 인공지능에 주목하기 시작했습니다. 인공지능의 부활은 크게 세 가지 이유가 있습니다. 첫째, 컴퓨터 하드웨어 성능이 발전하며 과거와 비교할 수 없는 속도로 연산이 가능해졌습니다. 둘째, 온라인 서비스의 발전으로 많은 양의 데이터들이 쌓이며 학습할 수 있는 데이터가 풍부해졌습니다. 셋째, 알고리즘의 발전으로 많은 양의 데이터 특성을 모델에 담을 수 있게 되었습니다.

출처: https://blog.ex-em.com/110206

인공지능 분야는 크게 이미지, 텍스트, 음성, 게임으로 구분할 수 있습니다. 이미지를 다루는 분야를 Vision이라 하며, 대표적으로 이미지 분류와 생성이 있습니다. 최근 사회적으로 논란이 되는 딥페이크 기술 또한 Vision에 속합니다. 텍스트를 다루는 분야를 자연어처리(Natural Language Processing)라 하며 가짜 뉴스를 생성하는 GPT와 같은 기술이 자연어처리에 속합니다. 음성을 다루는 분야를 Speech 분야라고 하며, 음성인식과 음성합성이 여기에 해당합니다.

인공지능 개발자가 하는 일

인공지능 개발자가 하는 일은 매우 다양하고 진행방식 또한 정해진 것이 없습니다. Top-Down 방식으로 회사에서 필요로 하는 프로그램을 개발팀에서 만들기도 하며 Bottom-Up 방식으로 개발팀에서 아이디어를 제안하기도 합니다.

예를 들어 회사에서 사용자가 남긴 상품평이 긍정인지 부정인지 자동 분류하는 프로그램이 필요하다고 가정해보면, 기획팀에서 프로그램 요청을 받고 개발팀은 해당 프로젝트를 수행하기 위한 몇 가지 단계를 거칩니다. 첫째, 학습에 필요한 데이터를 구축해야 합니다. 회사에 해당 프로젝트를 수행할 수 있는 데이터가 있는지 확인하고 데이터가 없으면 수집을 합니다. 둘째, 수집한 데이터를 학습 데이터로 변환 및 정제합니다. 만약 지도학습 방식을 적용한다면 각각의 상품평이 긍정인지 부정인지 정답을 적습니다. 셋째, 학습 모델을 설계한 후 훈련 데이터를 사용해 학습합니다. 학습 모델은 최근 주목받고 있는 신경망 모델을 사용할 수도 있고, 과거의 통계 기반 추론 모델을 사용할 수도 있습니다. 여러 가지 모델을 사용해 비교하며 가장 좋은 모델을 찾습니다. 넷째, 학습한 모델을 사용해 테스트 데이터를 넣어 성능을 측정한 후 원하는 성능이 나올 때까지 전체 과정을 반복합니다.

인공지능 프로젝트를 구현하며 중요한 것은 프로젝트 주제에 적합한 알고리즘을 설계하고 데이터를 정제하는 것입니다. 각각의 도메인 특성에 맞는

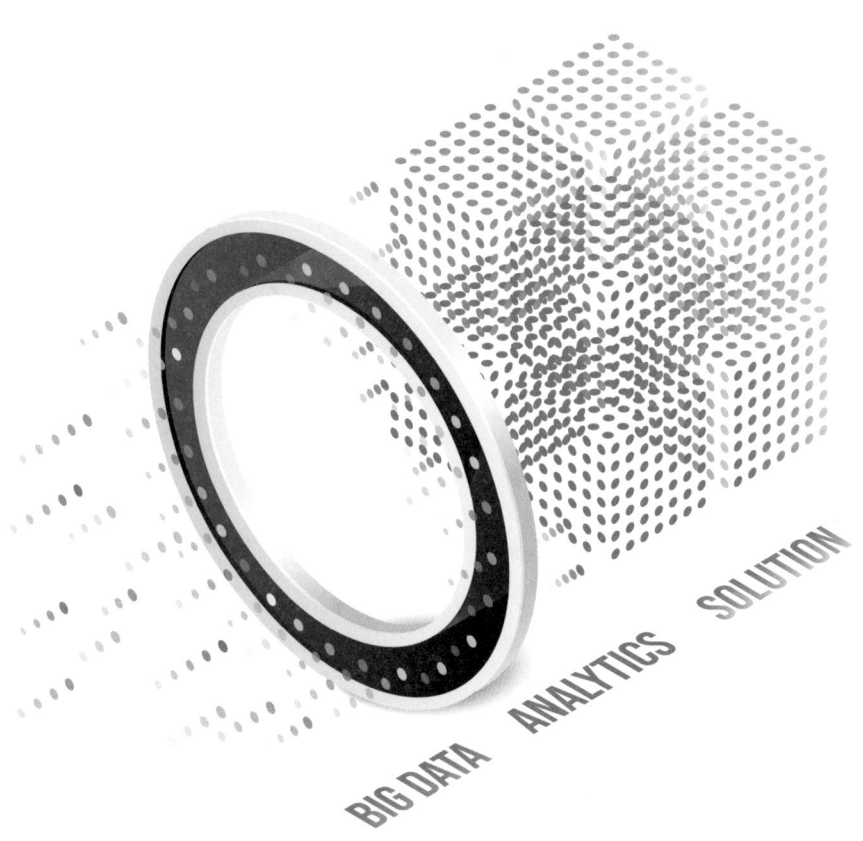

BIG DATA   ANALYTICS   SOLUTION

부분을 찾아야 합니다. 예를 들어 영화 흥행 예측 프로그램을 만든다고 했을 때 영화가 흥행하기 위해서 무엇이 필요한지 알아야 합니다. 좋은 감독, 배우, 개봉 시기, 연령 등급, 시나리오 등 다양한 요소가 있다는 것을 인지하고, 각각의 요소가 얼마나 중요한지 알아야 영화 흥행 예측 프로그램을 만들 수 있습니다.

인공지능과 데이터 관련 직종은 현재도 주목받고 있지만, 미래에는 더 주목받을 것입니다. 세계적으로 인터넷 보급률은 계속해서 증가하고 있고, 사람들은 다양한 소셜 네트워크 활동을 하며 방대한 양의 데이터가 쌓이고 있습니다. 회사들은 계속해서 쌓이는 데이터를 활용해 BI(Business Insight)를 얻고 싶어 하며 서비스에 많은 부분을 자동화하고 싶어 합니다. 또한 이미 많은 회사에서 많은 투자를 하고 있습니다. 구글에서는 딥마인드(Deep Mind)라는 인공지능 관련 자회사에 2016년 기준 7,000억을 투자하였습니다. 윈도, 워드, 엑셀 등을 만든 마이크로소프트에서는 Open AI라는 회사에 10억 달러(1조 1,883억 원)를 투자하였습니다. 국내 기업인 네이버는 일본의 소프트뱅크와 합작해 매년 1조 원을 인공지능 기술에 투자하기로 하였습니다.

드라마, 영화의
스토리 창작과 제작

CHAPTER 1

김태원

스토리창작자, 제작자

현재. 푸른여름스토리연구소 주식회사 대표이사
한국콘텐츠진흥원 콘텐츠해외진출지원센터 자문위원 등
주요 경력 충남영상위원회 위원장
CJ E&M 드라마국장
MBC 드라마 선덕여왕문화산업전문회사 대표이사
올리브나인 드라마사업본부장
초록뱀미디어 총괄부사장
디지털드림스튜디오 영상사업부문장
SBS 콘텐츠허브 전략기획팀장
아트그룹 시우터 기획실장
강의 건국대학교 문화콘텐츠학과, 한국예술종합학교 영화
과, 고려대학교 미디어학부, 한양대학교 문화콘텐츠학과,
대전정보문화산업진흥원, 충남정보문화산업진흥원, 전남정
보문화산업진흥원, 제주영상문화산업진흥원, KT&G 상상
마당아카데미, 한겨레교육문화센터
학력 고려대학교 법과대학 법학과 졸업

E-mail: dobdah@naver.com

드라마, 영화의 스토리 창작과 제작

저는 1999년부터 SBS 콘텐츠 허브의 전략기획팀장, 초록뱀미디어 총괄부사장, 올리브나인 드라마사업본부장 등을 맡으면서, '올인', '주몽', '프라하의 연인' 등의 드라마를 제작했습니다. 2008년 MBC '선덕여왕' 제작 이후 CJ E&M 드라마 국장으로 재직하고, 2010년부터 푸른여름스토리연구소라는 회사를 운영하고 있습니다. 푸른여름스토리연구소는 한 축으로 스토리 작법 연구와 예비 창작자 교육·양성, 영화/드라마/(웹)소설 등 스토리 창작자로의 데뷔 지원, 다른 한 축으로는 영화/드라마 등 스토리 콘텐츠의 기획과 제작사업을 진행하는 회사입니다. 본래 영화나 드라마를 분석하고, 창작법을 연구하는 데 관심이 있어서 세계적인 작법서를 구해서 연구했습니다. 회사 업무의 연장선에 있기도 하지만, 개인적으로 2010년부터 여러 대학교와 KT 상상마당, 한겨레문화센터에서 드라마, 영화 스토리 창작자를 양성하고 있습니다.

콘텐츠 사업을 하게 된 이유

대학에서 법학을 전공했던 제가 콘텐츠사업에 뛰어들어 일하게 된 결정적인 계기는 젊은 시절 저를 깨우쳐 주고 힘이자 나침반이 됐던 '문화강국(文化強國)'이라는 화두입니다. 문화강국을 강조하신 분은 여러분도 잘 알고 있는 백범 김구 선생이십니다. 중국에서 독립운동을 하던 시절에 쓴 자서전이 《백범일지》입니다.

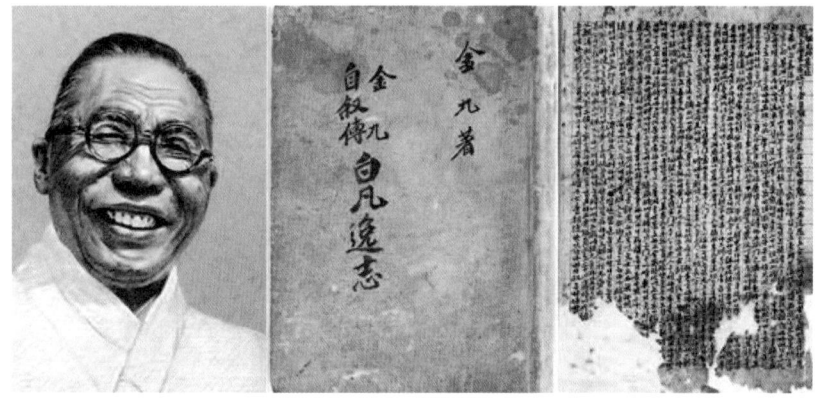

백범 김구. 《백범일지》 초판 표지. 《백범일지》 친필본(보물 제1245호)
(이미지 출처:http://weekly.chosun.com/client/news/viw.asp?ctcd=C09&nNewsNumb=002470100023)

《백범일지》는 광복 직후인 1947년에 처음 출간되었습니다. 이 책에서 백범 김구 선생은 '내가 원하는 우리나라'를 그리면서, 우리나라가 군사력이나 경제력보다 문화적으로 세계적인 강국이 되기를 바란다고 말씀하셨습니다. 우리가 1947년 생각해 보면 제대로 된 나라도 정부도 세워져 있지 못했던 시절에, 우리나라가 갖추어야 할 것은 '한없는 문화의 힘'으로 규정하셨습니다. 제가 백범 김구 선생님의 생각을 한걸음이라도 현실로 옮겨 놓을 수만 있다면 내 인생이 그렇게 후회되지 않겠다고 생각하게 되었습니다. 그래서 문화를 전파하고 만드는 방송, 영상 쪽으로 일을 하게 된 것입니다. 요즘 말로 하면 콘텐츠산업으로 제가 뛰어들게 되었습니다. 그래서 아래와 같은 작품들을 기획하고 제작하였습니다.

김태원이 제작자로 참여했던 작품들

제가 애니메이션, 영화 그리고 드라마를 기획 제작하면서 느낀 것이 있다면, 콘텐츠산업을 키우는 가장 중요한 힘이 바로 스토리에서부터 시작된다는 것이었습니다. 아무리 좋은 배우, 감독, 미술감독, 촬영감독을 모아놔도 스토리가 개연성이 없고 허술하면 좋은 작품이 완성되지 못합니다. 그리고 영화나, 드라마 대본이든 소설이든 요즘 웹소설, 웹툰이든 좋은 스토리는 멀티유즈가 될 수 있습니다. 요즘은 웹소설이 웹툰이 되고 드라마가 되고, 영화가 되고, 게임 스토리까지 되는 세상입니다. 콘텐츠 개발에서 가장 중요한 것은 결국 스토리입니다.

한류 스토리의 위상

여러분 중에는 최근 들어 드라마, 영화의 창작자나 제작자가 되고 싶은 학생이 많을 것입니다. 특히 요즈음처럼 넷플릭스, 웨이브, TVING, 왓챠, 디즈니TV 등 OTT(Over The Top)가 제작 투자를 활발하게 하는 상황에서 작가도, 프로듀서도, 배우도 부족한 상황입니다. 우리나라는 세계에서 가장 우수한 영상물을 가장 빠르게 만드는 시스템이 갖춰져 있습니다.

OTT(Over The Top)

    속도도 빠른데 질적으로도 매우 우수합니다. 2020년에는 봉준호 감독의 '기생충'이 아카데미 4개 부문에서 수상하고, 2021년에는 윤여정 배우님이 여우 조연상을 받으면서, 우리나라 콘텐츠산업은 수출 실적으로나, 실력으로나 가장 영향력 있는 분야가 되었습니다. 넷플릭스는 우리나라 영상 콘텐츠 제작에 2021년에만 자그마치 5,500억을 투자하겠다고 발표했습니다. 따라서 전 세계에서 우리나라 콘텐츠 제작에 열띤 관심을 보이면서 투자를 합니다. 우리는 지금 글로벌 한류 시대를 살고 있다고 해도 과언이 아닙니다.

한국 콘텐츠산업 전망

이러한 글로벌 한류 시대, 한국 콘텐츠산업의 전망이 어떠한지 자세히 살펴보도록 하겠습니다. 우리나라 한국 콘텐츠산업의 성장 추이를 먼저 살펴보고 넘어가도록 하겠습니다. 문화체육관광부(장관 박양우)와 한국콘텐츠진흥원(원장 김영준)이 발간한 '2020년 상반기 콘텐츠산업 동향분석보고서'에 따르면 콘텐츠산업에서 가장 큰 비중을 차지하고 있는 분야는 출판입니다.

그다음은 방송이 차지하고 있습니다. 3위는 지식정보이며, 4위가 게임입니다. 하지만 눈여겨보아야 할 것은 전년 동기 대비 증감률입니다. 지식정보 분야와 게임 분야, 그리고 만화 분야가 10% 이상의 성장세를 보이고 있습니다. 매출 감소 폭의 순위는 영화, 광고, 애니메이션입니다.

수출에서의 비중은 게임이 단연 1위를 차지하고 있습니다. 그런데 재미있는 부분은 2020년부터 만화의 수출이 36.7%나 성장했다는 것입니다. 수출이 커지면 제작이 늘기 때문에 해당 분야의 종사자가 증가하게 됩니다. 일자리가 많이 생긴다는 것이지요. 따라서 게임과 캐릭터, 지식정보, 만화 그리고 콘텐츠 솔루션 분야에 종사하는 사람의 수가 늘었다는 것을 알 수 있습니다. 코로나19로 영화산업의 매출이 급속하게 줄어든 것은 영화를 상영했던 극장들의 영업 부진과 관련이 있습니다. 개봉을 미루다 보니 제작 편수도 급감했습니다. 하지만 앞서 살펴보았던 OTT에서 오리지널 콘텐츠 제작을 늘리고 있어 한국 콘텐츠산업의 전은 다른 분야보다 매우 밝은 편입니다.

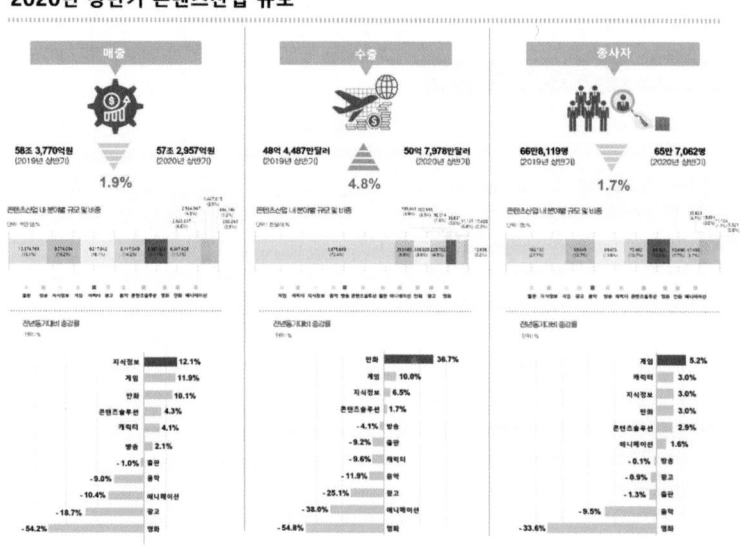

2020년 상반기 콘텐츠산업 동향

　우리가 콘텐츠산업을 떠올리게 되면 대단한 문화적 영향력과 사회적 영향력은 갖고 있지만, 경제적 영향력은 상대적으로 좀 작지 않을까라고 생각하게 됩니다. 하지만 이것은 선입견입니다. 제가 우리나라 국민 총생산 GDP에서 콘텐츠산업이 어느 정도의 비중을 차지하고 있는지를 한번 찾아봤습니다. 2019년 한국 GDP의 6.5% 정도라는 비중을 차지하고 있습니다. 생각보다 그렇게 낮은 비중은 아닌 것 같습니다.

콘텐츠 르네상스의 시대

최근 뉴스를 보면, 네이버, 카카오 모두 콘텐츠 사업의 비중을 늘리고 콘텐츠를 생산할 수 있는 제작사들을 인수 · 합병하고 있습니다. 이러한 이유는 콘텐츠산업의 기반이라고 할 수 있는 원천 스토리, 즉 IP를 확보하는 것이 중요하다는 사실을 깨달았기 때문입니다. 독점적인 플랫폼이 힘을 갖기 위해서는 자발적으로 사람들이 머물며 소비할 수 있는 킬러 콘텐츠가 필요하기 때문입니다.

여러분이 특정 유튜브를 구독한다고 생각해 봅시다. 매일 새로운 영상이 있고, 여러분에게 재미를 주기 때문에 유튜브에 접속하고 특정 채널을 구독합니다. 어린이들의 경우 로블록스라는 플랫폼에 수시로 접속하는 것은 게임을 하고, 만들고, 그 안에서 친구들과 소통할 수 있기 때문입니다. 로블록스의 킬러 콘텐츠는 게임입니다.

콘텐츠 스트리밍의 시대

    한국 콘텐츠산업의 영역별로 매출액의 비중을 살펴보면 1위는 출판산업입니다. 출판산업의 경우에는 안타깝게도 종이책의 연평균 매출은 계속 감소하고 있습니다. 그 뒤를 이어서 방송 광고, 지식정보, 게임 캐릭터 이런 산업들이 뒤를 잇고 있습니다. 한국 영화가 칸, 오스카 등과 같은 세계 유수의 영화제에서 굉장히 높은 평가를 받고 있어서 앞으로 그 시장은 더 성장하리라고 생각됩니다.

    이 콘텐츠들의 공통적인 출발점이 있다면 바로 스토리라고 할 수 있겠습니다. 실제로 우리나라 사람은 세계에서 스토리를 가장 많이 소비하는 국민들입니다. 최근에는 넷플릭스를 통해서 전 세계 스토리를 소비합니다.

한국 콘텐츠산업의 잠재력

우리나라 콘텐츠산업이 앞으로 얼마나 더 성장할 수 있는지 그 잠재력을 보여줄 수 있는 사례로 월트디즈니사를 소개합니다. 월트 디즈니 컴퍼니(영어: The Walt Disney Company)는 오늘날까지 가장 큰 할리우드 스튜디오 중의 하나로 손꼽히게 되었습니다. 2019년 기준으로 시가총액 기준으로 세계 1위의 미디어 그룹입니다.

디즈니의 본사와 주요 제작 시설은 캘리포니아주 버뱅크의 월트 디즈니 스튜디오에 있습니다. 디즈니는 마블 스튜디오, 루카스필름, 월트 디즈니 애니메이션 스튜디오, 픽사, 월트 디즈니 픽처스, 20세기 스튜디오, 터치스톤 픽처스, 할리우드 픽처스, 미라맥스 등의 영화 제작 및 배급 사업과 디즈니 채널, ABC, ESPN, 디즈니 주니어에서 방송된 프로그램을 제작·송출하는 방송 사업, 디즈니랜드를 비롯한 11개의 테마파크 사업 등을 펼치고 있습니다.

디즈니 플러스 OTT

상승 중인 월트 디즈니 컴퍼니 주가

한국은 디즈니 같은 거대한 콘텐츠 회사를 보유하고 있지는 못하지만, 한국 콘텐츠의 영향력은 세계에서 미국 다음의 위치를 차지하고 있습니다. 여러분도 한류에 대해서는 들어보신 적이 있을 겁니다. 한류가 어떻게 발전해왔는지를 제가 한번 정리해봤습니다. '한류'는 1990년대 중반 중국에서 처음으로 만들어진 말입니다. 물론 중국과 우리나라의 관계 악화로 중국으로의 한류는 주춤하고 있지만, 전 세계적으로 우리나라는 문화적 절정기를 맞이하고 있습니다. BTS에 대해서는 두말할 나위가 없겠죠. K-POP을 비롯해 영화, 드라마, 게임 등 스토리 콘텐츠가 개척한 세계시장에서, K-Food, K-Fashion과 Beauty에 이르기까지 한국 문화의 영향력은 더욱 커지고 세계 인류의 마음을 강렬하게 사로잡고 있습니다.

할리우드와 경쟁하는 한류 콘텐츠

사실상 지금까지 세계 인류가 공통적으로 소비하고 있었던 콘텐츠는 미국 할리우드 하나밖에는 없었습니다. 근데 2000년대 이후에는 한국의 한류 콘텐츠가 전파·공유되었습니다. 이것은 최소한 30년 이상 앞으로도 지속적인 발전·확대해나가게 될 것이라고 봅니다. 그 근거는 한류의 원동력과 엔진인 스토리의 힘입니다. 한국의 웹툰이 세계적으로 소비되고, 또 그 웹툰이 드라마와 영화가 되어 세계적으로 소비되는 것만 봐도 알 수 있습니다. 우리의 스토리 콘텐츠는 지금도 생산되고 있고, 또 세계로 뻗어 나가고 있습니다.

'가장 개인적인 것이 가장 창의적이다.'

우리는 모두 훌륭하고 매혹적인 스토리를 만드는 창작자가 될 수 있는 잠재력을 가지고 있습니다. 봉준호 감독은 "가장 개인적인 것이 가장 창의적이다"라는 마틴 스코세이지 감독의 말을 인용해서 아카데미상 감독상의 수상 소감을 이야기했습니다.

아주 개인적인 우리의 이야기들은 사회 속에서 사람들의 경험했을 법한 이야기와 닮아 있습니다. 그리고 이러한 개인적인 이야기를 스토리로 담아내면 많은 사람의 공감을 얻을 수 있습니다. 사람들은 자신과 비슷한 삶을 살아가는 다른 사람들의 이야기를 소비하려는 본능을 가지고 있습니다.

5G 시대에 전 세계는 연결되어 있고, BTS를 듣고 넷플릭스를 보는 세계인은 연결된 사회 속에 살아가게 됩니다. 따라서 예전보다 우리들의 이야기가 소비될 영역은 넓어졌습니다. 따라서 우리는 우리의 이야기로 새로운 한류를 계속 발전시켜 나갈 수 있습니다.

더구나 콘텐츠를 실어나르는 플랫폼은 나날이 확장되고 있습니다. 과거에는 지상파 방송사밖에 없었던 시절도 있지만, 이제 CJ나 JTBC와 같은 케이블 방송사도 부쩍 성장했고, 세계시장과 연결된 넷플릭스나 왓챠, 웨이브와 같은 소위 OTT(Over The Top)도 늘어나고 있어서, 이제는 네이버나 카카오, 쿠팡에서도 영상 콘텐츠를 서비스하겠다고 나서고 있습니다. 이렇게 넓어진 콘텐츠 시장에서 결국 가장 중요한 것은, 매력적인 스토리로 만든 콘텐츠 그 자체입니다. 이런 스토리를 창작하고 콘텐츠로 제작하는 데 얼마나 많은 인력이 필요할지는 분명히 알 수 있습니다.

영상 콘텐츠 제작과정

영화, 드라마와 같은 영상 콘텐츠를 만들 때 어떤 과정을 거치는지 정리해
보면 다음과 같습니다.

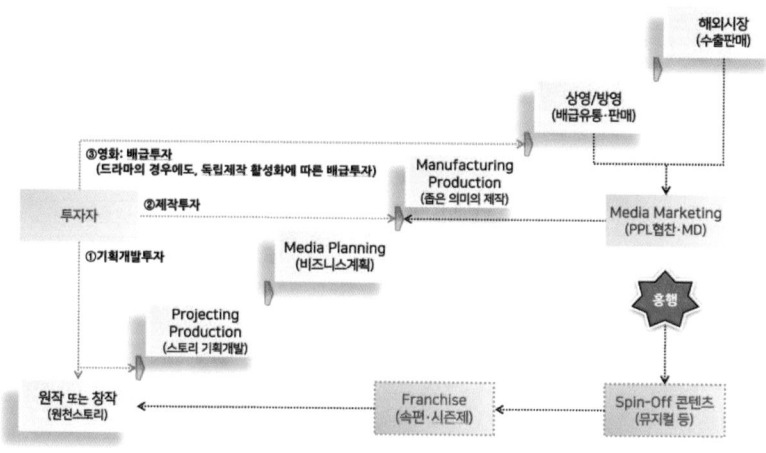

디즈니 플러스 OTT

단계별로 어떤 역할들이 있는지를 좀 더 자세히 들여다보면, 아래의 그림
과 같습니다. 복잡해 보이겠지만, 영화나 드라마 한 편을 만들 때 보통 100명
이 넘는 인력이 어떤 영역에서 일하는지를 이해할 수 있을 것입니다.

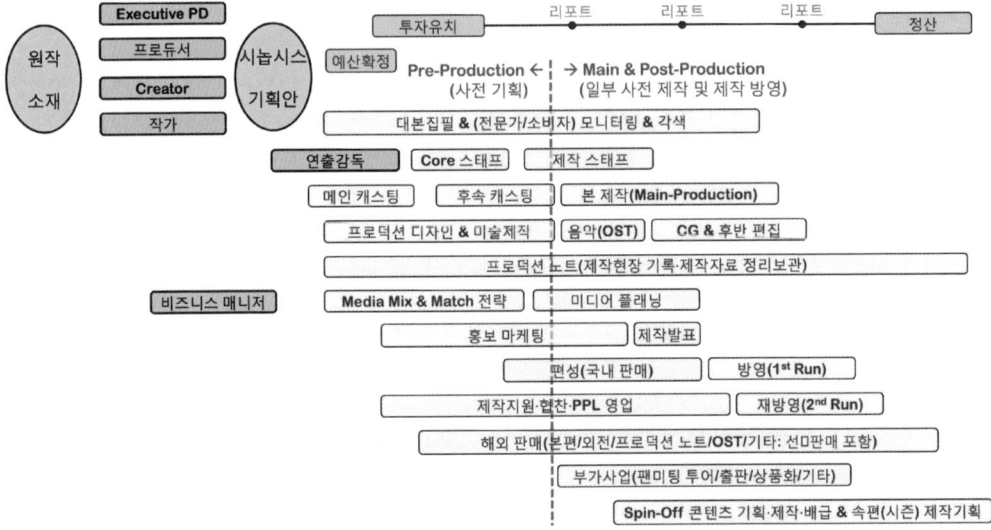

영상 콘텐츠 제작과정

스토리 창작자는 작가만을 의미할까?

앞에서도 말했다시피 이 모든 과정에서도 스토리 창작이 가장 중요합니다. 매력적인 스토리가 아니라면, 아무리 큰돈을 들여서 콘텐츠를 만든다고해도 성공할 가능성이 없기 때문입니다. 성공할 가능성이 없는 콘텐츠에 돈을 투자할 사람도 없을 테니 아예 만들어지지도 못하겠지요.

보통 스토리 창작자라고 하면, 작가라는 명칭과 같다고 생각하는 경우가 많습니다. 소설은 물론이거니와 드라마나 영화 같은 영상 콘텐츠에서도 대본이나 시나리오와 같이, 스토리는 결국 글로 표현되기 때문에, 글 쓰는 작가가 가장 중요한 위치에 있는 까닭에, 스토리 창작자 = (글) 작가라는 인식이 생겼습니다. 그러나 아무리 멋지고 세련된 글도, 그 이전에 매력적인 이야기를 창작하고서야 빛을 발할 수 있습니다. 그래서 스토리 창작자는 글 작가에 국한되는 것은 아닙니다.

스토리를 기획하는 단계에서 더 큰 힘을 발휘하는 사람은 저와 같은 프로듀서입니다. 또 연출 감독도 중요합니다. 스토리 창작에서 핵심적인 역할을 하는 사람이 프로듀서와 작가와 연출 감독이라고 할 수 있습니다. 넓게 본다면, 앞의 그림에서 사전 기획 단계로 구분되는 과정들이 모두 스토리 창작과 긴밀히 연관되는 직업들이라고 생각하면 됩니다.

스토리 창작자는 어떻게 될 수 있을까요?

영화의 봉준호 감독이나 드라마의 김은숙 작가 또는 김은희 작가 같은 분들은 중학교나 고등학교 때부터 스토리를 창작하고 글을 잘 쓰고 그림을 잘

그리는 재능을 갖고 있었기 때문에, 유명한 창작자가 될 수 있었을까요? 생각해 보면 한창 감수성이 꽃피기 시작하는 청소년 시절에는 누구나 글을 쓰고 연기도 하고 무언가를 상상하고 창작하고, 다 그러지 않나요? 아마도 마찬가지였을 것입니다.

상상하기 좋아하고 창의적인 무언가를 만드는 재능이 필요한 것은 당연하지만, 무엇보다도 중요한 것은, 세상과 사람들에 대한 관심과 탐구 정신입니다. 스토리 창작자는 자기 자신이나 어느 한 사람을 위해 스토리를 창작하는 게 아니라, 세상 사람들을 대상으로 스토리를 창작하는 사람들이기 때문입니다.

세상의 흐름과 사람들의 일상에 대해 애정 어린 관심을 갖는 것, 무엇이 문제이고 해법일 수 있는지 탐구하는 정신과 노력이 중요합니다. 이름만 들어도 아는 미국의 크리스토퍼 놀란 감독은 〈인셉션〉이란 영화를 만들기 위해, 시나리오 작가인 동생과 함께 무려 2년 동안이나 심리학과 정신분석학을 공부했다고 합니다.

이 책을 읽는 분들 중에서 세상과 사람들에게 들려주고 싶거나 하고 싶은 이야기가 있다면, 누구든지 스토리 콘텐츠산업의 문을 두드릴 수 있습니다. 스토리 창작자는 누구나 할 수 있습니다.

CHAPTER 08

융합 콘텐츠 크리에이터

변문경

인공지능 융합 콘텐츠 크리에이터

성균관대학교 화학, 국어국문학 전공
성균관대학교 사범대학 교육공학 박사 (Ph. D)
성균관대학교 인공지능융합학과 박사과정
동아일보 수리수리논술이 출제 및 평가위원

주요 관심 분야 : STEM 교육, 인공지능 융합교육, 자연어
처리, 인공지능 콘텐츠 생성 API 개발, 스토리텔링

curiomoonlight@gmail.com

08 융합 콘텐츠 기획자의 시작

저는 인공지능을 활용해서 융합 콘텐츠를 기획하고 있는 변문경입니다. 융합 콘텐츠(Convergence Contents)의 의미는 여러 가지 분야를 융합하는 과정에서 발견된 의미 있고 새로운 지식이라고 생각하면 되겠습니다. 최근에 대학에서도 여러 전공을 통합한 융합 전공 학부가 생겼습니다. 이미 융합 콘텐츠의 적용 범위도 넓어졌고 다양한 기술과 지식을 융합하는 과정에서 창의적인 서비스들이 제공되고 있습니다. 하지만 학제 간, 분야 간의 지식을 융합한다고 해서 모두 의미 있는 콘텐츠가 되는 것은 아닙니다. 융합할 필요성이 분명해야 하고, 결과물이 합리성과 개연성을 갖춰야 비로소 의미 있는 지식이 됩니다.

제가 본래 하고 싶었던 일은 SF(science fiction) 장르의 과학소설작가가 되거나 패션 디자이너가 되는 것이었는데, 부모님은 안정된 직장을 가져야 행복하다며 제가 학교 교사가 되기를 원하셨습니다. 그래서 저는 고민하다가 고등학교 시절, 그 두 가지를 절충하여 '재미있는 교육 프로그램을 기획하고 개발'하는 일을 하겠다고 결심했습니다. 대학에 다니면서 교직 이수를 하고 교사자격증을 취득한 것도 학생들을 가르치는 것보다 학교에서 학생들이 재미있게 배울 수 있는 교육 프로그램 개발을 위한 전문성을 높이고 싶었기 때문이었습니다.

그리고 좋은 교육 프로그램을 개발하기 위해서는 국어 교과 실력도 필요하겠다고 생각하여 화학과 국어국문학을 복수전공하였습니다. 이후 교육 프로그램 개발을 위해서 전문성을 키우려고 사범대학 교육학과 석사과정에 들어갔습니다. 교직 이수 과정에서 들었던 교육과정 설계 분야를 제대로 공부하고 싶었기 때문입니다. 기대하지 않았던 교육 통계나, 교육 철학 등의 수업은 제게 정말 재미있고 유익했습니다. 하지만 정작 대학원에서 배우고 싶었던 교육과정 설계 등의 기초이론을 모두 영어로 되어 있는 원서로 배우게 되었습니다. 지도 교수님이 영문과를 나오셔서 대부분의 수업 시간을 20년 전에 나온 교육과정 전공 책을 완벽히 번역하는 데 보냈습니다. 이공계를 나온 저는 교육학 전공용어를 몰라서 처음엔 단 한 줄을 번역하기에도 벅차 그 내용도 제대로 이해할 수 없었습니다.

본래 박사과정까지 진학할 생각이었지만, 박사과정 선생님들은 번역할 분량만 더 많았고 배우는 것에 차이가 없었습니다. 요즘처럼 구글 번역기가 없어서 복사된 책을 한 줄 한 줄 번역하느라 건강이 악화된 선생님들도 계셨습니다.

저는 영문과가 아닌 교육학과에 들어간 것이어서 대학원에서 도망치듯 취업을 했습니다. 교육 프로그램을 개발하는 연구소에 지원했는데, 당시 제가 과학, 국어를 동시에 전공했다는 점과 두 가지 모두 교사자격증을 취득했다는 것이 합격에 큰 영향을 끼쳤다고 합니다. 나중에 알았지만, 당시 융합 교육, 다학제간(multidisciplinary)이라는 단어가 미국 교육에서 막 중요하게 다루어지기 시작하던 시절이어서 엄청난 경쟁률을 뚫고 기업부설 연구소 연구원으로 입사하게 되었습니다.

창의 사고력 검사 도구를 개발

저는 과학 융합 교재를 개발하는 일을 하는 것으로 알고 입사했지만, 추가로 창의 사고력 검사 도구를 개발하는 일을 담당하게 되었습니다. 창의 사고력 문제를 만들기 위해서는 먼저 거꾸로 생각하는 습관을 들여야 합니다. 제가 출제한 문제를 학생들이 풀 때 어떤 생각을 맨 처음하고, 어떤 지식을 사용하는지를 상상하며 문제를 개발해야 합니다. 제가 출제했던 문제를 하나 예로 들어보겠습니다.

〈창의 사고력 문제〉

민수가 큰 방의 한쪽 끝에 서 있고, 다른 한쪽 끝에서 영희가 향수를 뿌렸다면, 잠시 후에 민수는 향수 냄새를 맡을 수 있을 것입니다. 각자의 위치에 그대로 서 있는 상태에서 민수가 향수 냄새를 더 빨리 맡을 방법은 없을까요? 아래 그림 속 방 안에 있는 물건들을 사용해도 됩니다. 다양한 방법을 고안해 보세요.

이런 창의 사고력 문제를 출제하기 위해서는 문제를 풀 학생들이 어떤 사전 지식을 가지고 있을지 생각해 보아야 합니다. 위 문제의 경우 확산에 대한 개념을 알고 있거나, 혹은 경험상 바람을 일으키면 된다는 사실을 알고 있어야 합니다. 또한 확산은 농도가 높은 곳에서 낮은 곳으로 공기 안에 포함된 분자가 직접 이동하는 현상입니다. 특히 물질 간의 농도 차가 클수록 빨리 움

직이고, 온도가 높을 때 저 빨리 분자가 이동한다는 것까지 학생들이 상상할 수 있다면 창의적인 문제 해결 방법이 나올 것입니다.

학생들이 문제를 읽고 해결방법을 떠올릴 때 학생들의 머릿속에서 활용되는 개념, 경험에 의한 지식을 상상하면서 문제를 출제하고 연구원들과 공동으로 검토했습니다. 하지만 연구원이 출제하고 검토한 문제라도 학생들이 문제를 이해하고 또 해결하는지를 충분히 테스트해서 채점 기준을 만들어야 합니다. 이를 파일럿 테스트라고 하는데요, 연구원들이 만든 창의력 문제를 전국 5대 도시에 있는 초등학교에 보내서 각 학교에서 100명씩 총 500명의 학생들이 써낸 답안을 하나하나 읽어 보고 정리하는 일을 어쩌다 혼자 하게 되었습니다. 참 많은 인내심이 필요한 일이었지만 지나고 보면 제가 학생들의 다양한 생각의 방향을 알 기회가 되었습니다. 결국 학년별 과학 창의력 검사 문제를 만들어서 점수와 채점표를 표준화하였고, 거의 15년이 지난 지금까지 해당 검사지가 사용되고 있다고 합니다. 그 일을 계기로 연구소에서 제 전문 분야는 측정 평가가 되었습니다.

엑셀과 코딩에 익숙해지기

그 이후로 저는 빅데이터에 관심을 가지게 되었습니다. 많은 학생이 창의 사고력 검사를 받았으니 그 결과 데이터는 서버에서 추출할 수 있었습니다. 그래서 저는 그 데이터를 분석하여 교육 프로그램 개발의 근거로도 쓰고, 학생들에게 도움이 되는 의미 있는 결론을 도출하고 싶었습니다.

과학 연구원이었지만 데이터 수집과 분석을 하다 보니 전산팀과 친해지면서 데이터 처리를 위해서 필요한 엑셀 서식과 통계프로그램을 배웠습니다. 그리고 약간의 코딩도 할 수 있게 되었습니다.

먼저 필요함을 느끼고 당장 필요한 것을 찾아 배우면서 문제 해결에 적용해 보니, 정말 짧은 시간 동안 많은 기능을 배울 수 있었습니다. 지금은 주로 유튜브를 통해서 배우지만 당시에는 컴퓨터 책을 보고, 통계 책을 보고, 그래도 이해되지 않는 것은 프로그래머들에게 물어보면서 실력을 키웠습니다. 그러면서 점점 새로운 기술과도 친해지고 스크래치, 3D 프린터, 아두이노 그리고 지금의 인공지능까지 융합적 지식을 쌓고 융합적 지식을 이용하여 문제를 해결하게 된 것 같습니다.

전문성을 높이는 과정

이렇게 스스로 전문성을 키워가던 중 우연한 기회에 동아일보와 '수리수리 논술이'라는 타블로이드 섹션을 기획하고, 슬기주머니라는 창의 사고력 문항 콘텐츠를 개발하는 업무를 담당하게 되었습니다. '수리수리 논술이'는 2주에 한 번 동아일보에서 발간되는 타블로이드판 신문이었는데요, 12~14개 정도의 융합 창의력 문제를 개발해서 신문에 게재하고 또 온라인 사이트에 올리는 일은 결코 쉽지 않은 일이었습니다.

우선 전 국민이 보는 신문에 콘텐츠가 게재되기 위해서는 저작권에 문제가 없어야 합니다. 순수하게 연구소에서 개발한 문제여야 했고 개발한 후에는 동아일보에 저작권이 넘어가기 때문에 우선 아이템을 잡고, 문제를 만드는 과정에서 철저한 공동 검증을 하였습니다. 과거에는 지금처럼 빅데이터에 기반을 둔 온라인 표절검사기도 없어서 모든 것을 사람의 힘으로 검증했습니다.

1년이 지나면서 아이디어는 고갈되기 시작했지만 저는 그사이 엑셀에 창의력 문제 빅데이터를 구축하게 되었습니다. 그간 자료를 찾으면 엑셀에 정리했고, 제 나름의 키워드로 분류 기준을 만들어 분류했습니다. 이렇게 정리된 데이터는 제가 창의력 문제를 만드는 자료가 되었고, 검증 과정에서 과학동아 기자님들의 도움도 받으면서 브레인스토밍도 하고 새로운 아이디어가 나오면 어김없이 엑셀에 업데이트했습니다.

그렇게 모인 자료를 제가 아직도 가지고 있는데요, 당시에 미국 교과서도 구해서 엑셀로 창의력 문제를 하나하나 해석해서 정리해 두고, 브리태니커 백과사전을 천천히 읽어 보면서 떠오르는 아이디어를 구하기도 했던 무식하고 용감한 시절이었습니다. 특히 제가 마지막까지 많이 참조하며 정리했던 창의력 문제들은 당시 구글의 입사 문제였습니다. 구글의 입사 문제는 정말 하늘이 제게 준 선물이라고 생각할 정도로 많은 인사이트를 주었던 창의력 문제들이었습니다.

지금은 네이버 백과사전이나 구글에서 검색해 보면 한 번에 확인할 수 있는 지식이지만, 당시에는 그런 방식의 검색이 불가능했습니다. 12~14개의 원고를 마감하는 2주라는 시간은 빠르게 돌아왔고, 저는 대부분의 시간을 창의력 문제를 연구하고 개발하는 데 보냈습니다. 나중엔 다른 연구원들의 문제도 수집하고 최종적으로 제가 다듬어서 마감했으며, 온라인상에서 학생들이 문제에 대한 답을 올리면 모든 글을 읽어 보았습니다. 그중에서 가장 적합한 문제 해결 방법을 제안한 글을 선정하고, 선정 이유에 대한 평을 하는 일도 꾸준히 했습니다.

당시에는 정말 힘들었지만 지금 생각해 보면 그 모든 일이 현재 제가 융합 콘텐츠 기획자로 성장하는 데 많은 도움이 되었습니다. 처음 그 일을 시작하면서 저는 어쩌면 일상생활에 질문을 던지고, 창의 사고력 문제를 만들고, 온라인에서 학생들과 함께 문제를 해결하면서 과학이라는 과목을 원리 중심으로 다시 배운 셈이 되었습니다. 지나가는 일상생활의 현상을 관찰하고 그 본질을 탐구하고, 특이점을 발견하고 질문하고 또 기록하는 것이 몸에 배기 시작했습니다. 그 후로 지금까지 세상을 과학의 눈으로 보고 재미있게 탐구하기 시작했던 것 같습니다.

교육용 방송 프로그램 기획 _ SBS 있다 없다!

연구소에서 또 하나 제게 주어진 미션은 방송 아이템을 개발하는 일이었습니다. 저는 SBS 있다 없다! 라는 프로그램의 아이템을 개발하는 일에 종종 참여했습니다. 이 일이 방송, 시청자를 고려한 콘텐츠를 기획하는 계기가 되었습니다. 첫 미션은 SBS 제작진이 제게 보여준 한 장의 사진을 통해서 시작되었습니다.

SBS '있다! 없다?'ⓒSBS (출처 : PD저널 http://www.pdjournal.com)

자동차를 천정에 붙여 놓은 사진이었는데 지금은 찾을 수가 없어 여러분들에게 소개해 드릴 수 없어 아쉽습니다. 자동차를 천장에 붙인 재료는 껌이라고 했습니다. 작가님과 PD님은 이런 실험이 방송에서 현실적으로 가능하냐 불가능하냐를 물었습니다. 저는 우선 검토해 보고 연락을 드리겠다고 하고 3일간의 시간을 얻었습니다.

저는 우선 껌의 재료, 제조 과정 등을 검색하고 기초 지식을 충분히 쌓은 후에 껌 한 박스를 구입했습니다. 연구소 식구들만 30명, 껌 세 통씩을 씹어서 당분을 제거하고 그걸 물에 빨아서 껌 베이스를 만들었습니다. 그리고 껌의 성분이 폴리비닐 알코올로 비닐과 같은 물질과의 접착력이 강하다는 사실을 확인했습니다. 하지만 자동차를 들어 올릴 엄두가 나지 않아 고민 끝에 작은 사물부터 껌에 붙여 들어 올리는 도전기 형식의 기획을 해서 방송국에 보냈습니다.

SBS 방송팀은 그다음 날 바로 저를 찾아왔고 그 실험 과정을 모두 촬영하기로 했습니다. 저는 TV에 출연하는 것이 부담스럽긴 했지만, 실험복을 입고 랩을 씌운 가전제품 등을 껌으로 들어 올리는 실험을 하는 과정에서 점차 이게 방송 촬영이라는 사실을 잊기 시작했습니다. 그저 재미있는 실험을 하는 과정을 많은 사람이 지켜볼 뿐이라고 생각하니 긴장도 되지 않았습니다.

저는 크고 무거운 자동차를 들어 올리는 대신 랩으로 감싼 물건들을 들어 올리면서 일반적인 자동차의 무게를 들어 올리기 위한 껌의 양을 계산하고 제시하는 방식으로 방송 녹화를 마쳤습니다. 이렇게 4월, 5월에 작가님들과 대본을 만들고, 피디님과 콘티를 짜고 3일간 본 촬영을 했는데 한 달이 지나고 두 달이 지나도 방송을 하지 않았습니다. 알고 보니 추석특집으로 방송분으로 편성되었고 그 일을 계기로 방송용 콘텐츠를 기획하는데 흥미와 자신감을 가지게 되어 기회가 될 때마다 적극적으로 참여하게 되었습니다.

필요한 콘텐츠 = 반드시 팔리는 콘텐츠

그렇게 연구소에서의 3년이 지나고, 저는 그간 만들어 놓은 창의력 문제를 책으로 출판하고 싶었습니다. 하지만 저작권이 동아일보에 있어서 출판하기 어렵다는 답을 들었고, 동아일보, 동아사이언스의 누적된 콘텐츠의 엄청난 가치를 보게 되었습니다. 매월 나오는 잡지, 과학도서 안에 들어 있는 콘텐츠의 2차 저작 수입도 많다는 사실을 알게 되었습니다. 기자들도 작가가 되고 싶다는 꿈을 키우고 있었고, 〈어린이과학동아〉에 만화를 납품하던 만화 스튜디오와도 친해졌습니다. 문득 저는 제가 어린 시절 SF 소설 작가가 되는 꿈을 가지고 있었다는 사실을 기억하게 되었습니다. 저는 제 콘텐츠로 책을 내야겠다고 결심했습니다. 하지만 한 권도 출판된 책이 없는 신인인 제가 대형 출판사의 편집부에서 출판할 방법은 없었습니다. 게다가 제가 쓰려고 하는 과학소설은 많이 팔리지 않는 분야여서 최초에 썼던 기획서는 모든 출판사에서 퇴짜를 맞았습니다.

역시 꿈은 꿈일 뿐이구나 하고 생각했는데, 제가 재직했던 연구소 소속의 회사에서 출판사를 설립하면서, 새로 부임한 편집장님과 만날 기회가 생겼습니다. 제게 초등학생을 대상으로 자신의 미래를 설계하면서 창의적인 산출물을 만드는 방법에 대해서 써볼 생각이 있느냐는 제의를 하셨습니다. 한 번도 생각하지 않았던 분야라고 했더니 편집장님은 우선 타깃이 되는 독자에게 꼭 필요한 정보를 담고 있는 책은 반드시 팔린다면서 용기를 주셨습니다. 중간에 포기할 생각도 했지만, 편집장님과 출판 진행 PD님의 지원으로 2011년 11월 첫 책을 내게 되었습니다.

출판으로 인세 수입도 받고, 외부 강의 섭외가 많이 들어오면서 저는 수집했던 창의력 문제와 자료를 중심으로 두 번째 책인 과학발명, 토론, 과학연구에 대한 책을 출판하게 되었습니다. 과학의 달에 많이 팔리던 그 책 덕분에 과학동아 편집부와 연결이 되었습니다. 그래서 2013년 R&E라는 책을 과학동아에서 출판하게 되었습니다. 결국 제 콘텐츠로 저작권에 문제없는 책을 출판하게 된 것입니다. 이전 책들의 판매실적이 있으니, 그 이후 제가 책을 기획하고 출판사에 기획서만 보내면 바로 출판은 확정되었고, 이후 프로세스는 매우 쉬운 일이 되었습니다. 결국, 출판사의 외주편집 역할도 담당하게 되었습니다.

강의보다는 출판

책들이 출판되면서 저는 저자로 많은 무대에 서서 강의를 했습니다. 특히 분당 잡월드와 현대백화점 토파즈홀에서 강의했던 기억이 많이 떠오릅니다. 저는 책에 출판 시점에서 제가 알고 있는 최고의 정보를 담았다고 생각했는데, 강의를 준비하면서 새로운 정보를 추가하고, 지역 특성에 맞는 정보를 찾아 제공하며 강의라는 것이 또 다른 차원으로 독자를 만나는 일이라는 생각이 들었습니다. 그리고 독자들과의 만남과 질문을 통해서 또 어떤 책이 필요한지를 확실히 알 수 있었고, 다음 책을 계속 써 내려갔습니다.

분당 잡월드 강의 2013년 11월

(출처: https://blog.naver.com/bdnaeil/30180565515 성남용인수지 내일신문 공식 블로그)

하지만 1년에 200회가 넘는 강의를 하면서 저는 지칠 대로 지쳤고, 책을 쓸 시간도 부족해졌습니다. 게다가 강의를 많이 했던 지역에서는 음식점에서 식사를 하고 있는데 학부모님들이 알아보고 우리 테이블로 와서 질문하거나 식사비용을 계산해 놓고 가는 일이 자주 일어났습니다. 저는 어느 순간 사람들을 의식하면서 살아야 하는 생활이 두려워지기 시작했고, 강의보다는 출판이 제 성향에 맞는다고 생각하게 되었습니다. 그래서 일 년에 최소 두 권의 책 또는 논문을 내자고 생각했습니다. 그리고 못다 한 공부도 더 해야겠다고 생각하고, 대학원에 다시 진학하여 박사과정을 마치게 되었습니다.

융합 콘텐츠 크리에이터_기획, 연구, 출판, 강연

대학원에서는 에듀테크와 관련된 연구를 하고 관련 논문을 쓰고 또 출판을 했습니다. 박사과정에서 13편의 논문이 게재되었습니다. 주로 테크놀로지를 교육에 적용한 사례연구를 했고, 3D 프린팅, 온라인 교육, 테크놀로지 활용 교육 쪽의 논문을 내고 책을 기획, 출판하였습니다. 현재는 인공지능, 빅데이터 등을 통합하여 융합 콘텐츠 크리에이터로 살아가고 있습니다. 계속 배우고 전문성을 키우기 위해서 성균관대학교 인공지능 융합학과에 입학하여 박사과정을 하고 있습니다. 인공지능에 관해서 공부하려면 유튜브에도 많은 강좌가 있지만, 책을 쓰기 위해서는 전문성을 키우는 것이 필요하다고 생각하였습니다. 이제 사람들이 직업이 뭐냐고 물으면 대답하기 위해서 융합 콘텐츠 크리에이터라는 거창한 이름을 만들었는데요, 좋게 생각하면 많은 분야에서 동시에 수입이 창출될 수 있는 직업입니다.

우선 소속된 회사에서 총괄 기획자로 일하고 있으면서 개인적으로 계속 콘텐츠를 기획해서 출판사를 통해 책도 출판할 수 있고, 또 외부에 유료로 자문을 할 수 있습니다. 최근에는 교육청, 관공서 등에서 강연 요청이 다시 들어오는데요, 적극적으로 강연을 하고 싶어서 하기보다는 콘텐츠에 대한 기획 능력을 강화하려면 독자들과 만나 소통할 필요가 있어서 강연을 합니다. 거기서 받는 질문들은 제가 문제해결 해야 할 프로젝트 수제가 됩니다.

문제 해결 방법은 다양합니다. 예를 들어서 4차 산업혁명 시대에 초등학교에서 어떻게 교육 혁신을 시작해야 하는가 하는 질문을 받고 『4차 산업 수업 혁명』이라는 책을 기획하고 공동 집필하였습니다. 또한 변화하는 시대에 인

공지능 교육 방안에 대한 질문은 『우리 아이 AI: 인공지능 융합 교육법』 책을 기획하는 계기가 되었습니다. 또 인공지능 수업에 대한 더 많은 사례를 공유해 달라는 질문은 『인공지능 FOR 클래스룸』을 쓰는 계기가 되었습니다.

이러한 출판뿐 아니라 융합 콘텐츠 크리에이터가 할 수 있는 일은 정말 다양합니다. 최근 제가 기획에 참여했던 분야는 온라인 가상전시관 구축이었습니다. 코로나19 상황에서도 전국 대학에서 산학협력했던 성과들은 공유되어야 하고, 어떤 방식으로 공유하면 많은 사람이 참여할 수 있을까를 고민하는 분들을 우연히 만나게 되었습니다.

인공지능 융합 콘텐츠 크리에이터

우선 많은 사람이 동시에 성과를 공유하기 위해서는 온라인상에 플랫폼을 구축하는 일이 필요하고, 성과별로 각각 가상전시관을 구축하고 그 안에 담을 콘텐츠를 기획했습니다. 그런데 문제는 273개 대학의 성과를 어떻게 하나하나 검색하고 찾아볼 수 있는가 하는 것이었습니다. 그래서 인공지능 추천 시스템을 기획하고 적용했습니다.

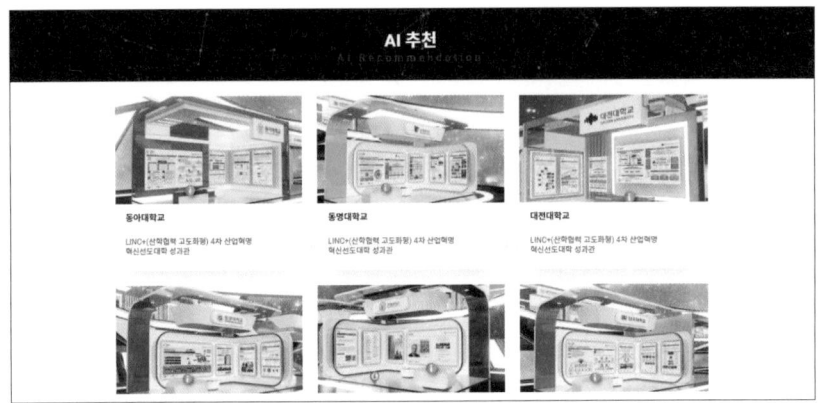

인공지능 추천 화면

　회원가입 시 사전 동의를 얻어 참관객들이 주로 이동한 경로를 분석하여 다음날 입장할 때 유사도가 높은 성과물을 추천하는 것입니다. 또한 전시장을 많이 관람하여 의미 있는 추천을 해주고자 '보고 또 보고' 이벤트를 운영하였습니다. 그 결과 9일간 143만 명의 관람객이 참여하는 대기록을 달성하게 되었습니다. 이후 저는 플랫폼 개발자들과 함께 누구나 온라인상에서 효율적으로 콘텐츠를 공유하고 또 추천받을 수 있는 플랫폼을 개발하고 있습니다. 아마도 올해 안에 개인이 보유한 콘텐츠를 전시하고 또 판매할 수 있는 길이 열릴 것 같습니다.

　한국콘텐츠진흥원에서 진행하는 콘텐츠 임팩트 창의랩 STORY AI에 참여한 것을 계기로 인공지능에 대해 더 공부하고 싶어서 인공지능 융합학과 박사과정에 진학했습니다. 그리고 팀을 짜서 AI 스토리텔러를 만드는 프로젝트에 2년째 참여하고 있습니다. 제가 속한 팀에서 연구하고 있는 분야는 장르별 이야기를 만드는 API입니다. 하지만 저희가 개발 중인 AI 스토리텔러의 수준은 이제 걸음마 단계입니다.

AI 스토리텔러 테스트 서비스 화면

계속 수정 보완을 하면서 AI 스토리텔러를 활용하여 생성한 대본으로 지금까지 두 개의 숏폼 웹드라마 영상을 만들었습니다. 계속 AI 스토리텔러를 발전시킬 방법을 찾아 공동으로 연구하고 있으며, 저는 박사 과정에서 재미있는 이야기를 만드는 인공지능 스토리텔러의 베타버전을 완성하고 이후에도 계속 발전시키겠다는 꿈을 키우고 있습니다. 제가 속한 팀에서 만든 AI 스토리텔러로 제작한 한 편의 짧은 인공지능 드라마를 소개해 드리겠습니다.

AI 스토리텔러로 제작한 인공지능 드라마 스틸 컷

AI 스토리텔러와 인공지능 웹드라마 qr 코드

융합 콘텐츠 크리에이터가 되려면

　융합 콘텐츠 크리에이터가 되는 첫걸음은 우선 자신이 어떤 분야에 관심이 있는지를 고민해 보는 것입니다. 잘 모르겠다면 현재 가장 흥미 있는 것, 궁금한 것이 무엇인지를 생각해 보면 좋겠습니다. 그 분야에 전문성을 키우는 길이 바로 융합 콘텐츠 크리에이터가 되는 시작입니다. **어떤 분야가 유망한 분야이냐고요? 우리 생활과 연관된 모든 분야가 해당되고 그중에서도 "자신이 원래 관심이 있었고, 평생 탐구하고 싶은 분야"라고 말씀드리고 싶습니다.**

　예를 들어 백종원 씨 같은 경우에는 사회복지학을 전공했지만, 지금은 사업가, 방송인, 요리 연구가로서 자신의 요리 레시피가 강력한 콘텐츠입니다. 고급 재료를 쓰고 정통 요리법을 구사하기보다 일상적인 재료를 쓰고, 누구나 집에서 활용할 수 있는 최적의 요리 레시피를 공유했습니다. 요린이들을 가르치는 TV 프로그램도 만들었고, 책으로도 출판하고, 골목식당 같은 프로그램에 나와서 작은 식당들의 요리 레시피에 대한 조언도 가감 없이 해줍니다.

　'스트리트 푸드 파이터'라는 프로그램을 통해서 백종원 씨는 각 나라를 돌며 요리를 연구하고, 또 레시피를 융합하여 새로운 레시피를 개발한다는 것을 알게 되었습니다. 심지어 영어, 중국어 등도 요리에 필요한 용어를 중심으로 배우게 되었다고 하니 백종원 씨는 요리 덕후라고 할 수 있겠습니다. 이렇

게 새롭게 개발한 레시피를 유튜브로 공개하기 위한 영상을 만들기도 합니다. 새로운 메뉴로 세팅한 음식점을 론칭하고 전국에 프랜차이즈를 만들 수 있습니다.

　결국, 융합 콘텐츠 크리에이터가 되기 위한 첫걸음은 자신이 흥미 있는 분야를 발견하는 것입니다. 그리고 그 분야에 대해서 많은 경험을 하고 매일 뉴스를 검색하고, 관련된 연구 논문이나 책을 읽는 노력을 지속해야 합니다. 그 전문 분야가 자신이 융합 콘텐츠를 개발할 수 있는 기반이 될 것이며, 판매할 수 있는 창의적인 서비스와 제품 아이디어의 원천이 될 수 있을 것입니다.

　결국 융합 콘텐츠 크리에이터가 되려면 우선 한 분야의 전문가가 되려는 꾸준한 노력이 필요합니다. 그리고 그 전에 내가 관심 있는 것, 잘하는 것을 찾아야 합니다. 지금은 메타버스 시대입니다. 나의 모든 재능과 관심은 콘텐츠가 되어 메타버스 안에서 무에서 유를 만들며 부가가치를 창출하는 직업이 될 수 있습니다.

기획, 편집을
마치며

진로지도를 하시는 선생님들께

이렇게 급변하는 세계 속에서 무엇을 가르치고 또 배워야 할지에 대해 어른들은 조급하게 고민할 필요가 있습니다. 사실 조급할수록 답은 더 안 나오고 더 우왕좌왕하며 갈피를 못 잡게 되는 경우도 많으실 것입니다. 진로 교육을 포함한 교육 정책이 세상의 변화를 뒷받침하기보다 세상의 변화에 끌려가고 있는 형국입니다. 그나마 다행스러운 것은 우리 어린 학생들은 4차 산업혁명 시대를 넘어 코로나19로 인해 빠르게 일상으로 스민 메타버스 세상에 이미 어른들보다 익숙하다는 점입니다.

학생들의 안목을 믿으세요.

이미 학생들은 메타버스 속에서 자신을 표현하고 의견을 게재하고 또 상상의 나래를 펴는 것에 익숙합니다. 학생들이 변화하는 세상에 이미 적응되었다는 사실은 또 한편으로는 기성세대 주도가 아니라 신세대 주도로 교육이 변화할 매우 긍정적인 기회를 맞이했다는 의미이기도 합니다. 본래 교육의 주체인 학습자들이 메타버스 세상 속에서 자신에게 맞는 교육을 선택하고, 주도적으로 학습 시간을 선택하며, 자기 삶을 구상하고 리드할 수 있는 환경이 열렸다는 뜻입니다.

교사 연수에서 또 행사 강연을 기획하면서 만나는 사람마다 요즘 제게 비슷한 질문을 합니다.

"이제 우리 아이들에게 무엇을 가르쳐야 하나요?"
나는 잠시 머뭇거리다가 이렇게 대답합니다.
"무엇을 좋아하는지 그리고 무엇을 배우고 싶은지 학생들에게 먼저 물어보시면 좋을 것 같아요."
"네?"

이러한 제 대답에 많은 사람은 기묘한 눈길을 보냅니다. 마치 제가 답을 가르쳐주지 않으려고 대충 얼버무린다고 생각하는 것 같습니다. 저는 결국 콕 집어 부연 설명을 합니다. 미래를 준비하는 고급 정보는 바로 학생이 관심 있는 분야에 대한 R&E(research & education)를 해보라는 것입니다. 한국과학창의재단에서는 매년 120팀의 고등학생들의 R&E 활동에 지원금을 주면서 격려하고 있습니다. 교육부장관상과 과학창의재단 이사장상도 줍니다.

R&E(research & education)

처음에 R&E는 과학고와 영재학교 학생들이 대학과 연계해 진행하는 연구프로젝트를 말했습니다. 학생들이 대학교수와 연계하여 관심 있는 주제에 대해 조사와 연구 활동을 한 이후 보고서나 논문을 쓰는 활동을 말합니다. 요즈음은 일반고까지 학교장 주도로 R&E를 시행하고 있습니다. 주제를 스스로 정하고 연구하는 것은 물론 자신이 해답을 찾아가는 자기 주도적 학습법으로 과학고와 영재학교에서는 이미 일반화한 과정입니다. 이는 진로와 전공에 대한 심도 있는 지식을 쌓을 수 있는 것은 물론 논리력 함양에도 효과가 있는 학습법입니다.

창의적 융합인재를 선호하는 대학들은 입학 사정관 전형에서 R&E를 중요한 기준으로 삼고 있습니다.[4] 또한 R&E의 결과물을 소논문이라고만 생각하는데, 꼭 논문을 쓰지 않더라도 콘텐츠를 만드는 결과물이면 무엇이든 됩니다. 관심 분야를 탐구한 결과물을 영상이나 만화, 소설로 써도 됩니다. 모든 것은 개인의 창작물이며 융합형 콘텐츠가 됩니다. 무엇보다 학생들이 자신이 관심 있는 분야를 깊이 있게 탐구하고 연구하는 모든 과정은 미래 진

---

4) 네이버 지식백과 R&E(시사상식사전, pmg 지식엔진연구소)

로에 가장 큰 도움이 됩니다.

가르치기보다 함께 배우고 성장했으면…

이 시점에서 무엇보다 먼저 누구에게 '가르친다'라는 말부터 달라졌으면 합니다. 미래를 살아갈 학생들에게는 가르치는 선생님(teacher) 대신 조력자 (helper, assistant)가 필요합니다. SKY 캐슬에 나오는 김주영 선생님 같은 비싼 코치를 말하는 것이 아닙니다. 여기서 조력자의 의미는 다양합니다. 저의 경우 대학을 졸업하고 사회에 나오면서 항상 인생의 롤모델을 정했습니다. 다행스럽게도 포털과 페이스북이 확산하면서 제가 롤모델로 삼는 사람들은 온라인에서 찾을 수 있었습니다. 예를 들어 제가 쓰려는 책이 있으면 그 분야 전문가들의 책과 인터뷰 자료들을 볼 수 있었습니다. 직접 만난 적은 없지만, 그 전문가들을 롤모델로 삼고 그들의 말을 귀담아들으면서 성장했습니다. 때로는 그들을 넘어서고 새 롤모델을 찾는 경험을 하기도 했습니다. 스스로 롤모델을 모방하면서 배웠습니다. 그들은 분명 저를 가르쳤으나 그건 배우려는 저의 선택이었을 뿐, 저에게 가르침을 주었다는 사실조차 모를 것입니다. 생각해 보면 저는 가르치는 자리에 있을 때도 이 가르친다는 말이 한없이 부담스러웠습니다. 가르치는 사람에게는 항상 책임이 수반된다고 생각했기 때문입니다. 잘 못 가르쳐서 남의 소중한 시간을 빼앗거나 오개념을 심어 주는 것은 분명 잘못입니다.

초, 중, 고 시절은 우리 학생들이 미래를 준비하는 정말 소중한 시간입니다. 그 소중한 시간을 할애해 수업에 참여한 학생들에게 자기 지식이 얼마나 특별하며 시류에 맞는 콘텐츠인가에 대해 숙고하고 준비해야 합니다. 소중한 시간을 내어 본 책을 읽어 주신 독자님께 깊은 감사를 드립니다.

다빈치 books   효과적인 학습 전략 수립을 도와주는 책들

에듀테크 FOR 클래스룸 :
한 권으로 끝내는 원격 수업 도구의 모든 것

박찬, 김병석, 전수연, 전은경, 진성임, 정선재, 강윤진, 변문경 | 416쪽 | 25,000원

원격수업에 필요한 모든 디지털 도구의 활용 노하우를 이 한 권에 담았습니다.
온·오프라인 수업에 에듀테크를 더하면 더 편리하게 흥미로운 수업을 설계하고 실현할
수 있습니다.

주요내용: 온라인 수업, 블랜디드 러닝, 플립트 러닝, 디지털 리터러시, 띵커벨, 카훗, 패들렛, 멘티미터, 실
시간 쌍방향 수업, 줌(Zoom), 구글 Meet, 카카오 TV, 영상녹화, PPT 녹화, 윈도우 게임 녹화, OBS, zoom it,
영상편집, 클로버더빙, 브루(Vrew), 곰믹스 (Gom Mix), 유튜브영상 올리기, 무료폰트, 무료이미지, 무료음
원, 미리캔버스, 구글플랫폼 활용하기, 구글설문, 구글프리젠테이션, 구글스프레드시트, 구글사이트도구

우리 아이 AI : 4차산업혁명시대 인공지능 융합교육법

박찬, 김병석, 전수연, 전은경, 홍수빈, 진성임, 문혜진, 김성빈, 정선재, 강윤진,

변문경, 권해연, 박서희, 이정훈 공저 | 320쪽 | 24,000원

인공지능 교육은 어떤 방향성을 가지고 진행해야 할까요? 인공지능 교육에 대한 정보,
고민과 해답을 "우리 아이 AI" 이 한 권에 담았습니다. 인공지능 교육은 일상생활에서
문제를 해결을 위한 인공지능 활용 교육이 중심이 되어야 합니다. 인공지능 교육에
대한 방향성, 선진 인공지능 교육 사례, 스마트 폰 속 인공지능 도구에 대한 교육적 활용
방법을 소개한 첫 책입니다.

쉽게 따라하는 인공지능 FOR 클래스룸

박찬, 전수연, 진성임, 손미현, 노희진, 정선재, 강윤진, 이정훈 | 212쪽 | 18,000원

온·오프라인 수업에서 인공지능을 활용할 수 있는 가장 실용적인 지침서입니다.
온·오프라인 수업에서 실현하는 인공지능 에듀테크의 모든것을 이 한 권에 담았습니다.

4차 산업 수업 혁명: with STEAM 교육 & Maker 교육

최인수, 변문경, 박찬, 김병석, 박정민, 전수연, 전은경 공저 | 264쪽 | 25,000원

STEAM 융합 교육에서 SW 교육으로 더 나아가 만들기 활동으로 세상과 상호작용할
수 있는 메이커 교육이 확대되고 있습니다. 이렇게 교육 혁신이 가속화되는 이유는 4차
산업혁명으로 사회, 경제적 시스템이 변화하며 미래 인재상도 변화하기 때문입니다.
이러한 교육의 패러다임의 전환기에, 본 책은 인간 본연의 창의성을 강화하기 위한
메이커 교육의 역사와 정신, 방향성을 제시하고 있습니다. 또한 이 책의 저자들은 코딩
교육, STEAM 융합 교육, 그리고 메이커 교육의 이상적인 통합 방법을 사례를 통해
보여줍니다.

다빈치 books

메타버스 인공지능의 시대

미래 직업 다이어리 1

초판 1쇄 발행	2021년 5월 20일
초판 3쇄 발행	2022년 2월 10일

기획	변문경
책임편집	김현
저자	신도형, 탐이부, 한재혁, 박찬, 이정훈, 김태원, 변문경
디자인	이시은 (디자인 다인)

펴낸곳	다빈치 books
등록일	2011년 10월 6일
주소	서울특별시 마포구 월드컵북로 375
팩스	0504-393-5042
전화	070-4458-2890
콘텐츠 및 강연 관련 문의	curiomoon@naver.com

*이미지 리소스: ShutterStock의 정식라이선스를 사용하였습니다.